DES RELATIONS
INTERCULTURELLES

Sylvie Loslier

DES RELATIONS
INTERCULTURELLES

Du roman à la réalité

LIBER

Les éditions Liber reçoivent des subventions du Conseil des arts du Canada et de la SODEC.

Maquette de la couverture : Yvon Lachance

Éditions Liber
C. P. 1475, succursale B
Montréal, Québec
H3B 3L2
Téléphone : (514) 522-3227

Distribution :
Diffusion Dimedia
539, boul. Lebeau
Saint-Laurent, Québec
H4N 1S2
Téléphone : (514) 336-3941

« L'influence du livre ne s'effaçait pas ; elle persistait et colorait tout ce que je voyais, faisais ou entendais. J'avais l'impression que maintenant je connaissais les sentiments des Blancs [...]. Il m'eût été impossible de raconter à quiconque ce que je tirais de ces romans, car ce n'était rien de moins que le sens de la vie elle-même. »

RICHARD WRIGHT, *Black boy*

« Le roman, en nous faisant pénétrer dans les moindres méandres du réel, exprime ce qui ne peut être dit à l'aide des idées ou des concepts (qui, en généralisant, simplifient et tendent à fixer et à immobiliser des états ou des situations) ou du langage conventionnel (qui souvent obscurcit plus qu'il n'éclaire la réalité). »

FRANÇOIS LAPLANTINE, *Transatlantique*

Introduction

Si les populations humaines ont depuis toujours entretenu des contacts entre elles, les liens sont aujourd'hui, pour des raisons environnementales, économiques, politiques, encore plus fréquents et nécessaires, mais ils sont successivement et tout à la fois facilités par les moyens de communication et soutenus par un idéal de paix, et minés par les préjugés, l'ethnocentrisme et les intérêts parfois mesquins des uns et des autres. Les relations interculturelles sont en effet toujours ambiguës. Source de progrès et d'évolution incomparable pour les sociétés comme pour les individus, elles sont aussi prétexte à conflits, violence, déchirements, drames.

Dans un contexte où la culture, au sens anthropologique du terme, joue un rôle clé dans l'équilibre fragile des rapports sociaux, et où l'on est confronté à sa propre identité à travers celle de l'autre, il est primordial de trouver des moyens pour favoriser la rencontre interculturelle et le dialogue. Or, si les sciences humaines — et, d'une autre façon, l'administration publique — se sont souvent penchées sur l'autre, l'enseignement qui se dégage de ces études savantes reste souvent abstrait, désincarné. L'expérience pédagogique nous apprend tous les jours que les concepts seuls sont insuffisants pour faire comprendre une réalité aussi intimement vécue, fondamentalement affective, que sont les relations interculturelles. Il nous a donc semblé que la littérature et, en particulier, le roman étaient plus à même de faire sentir ce qui est en jeu dans les contacts — qui sont souvent des chocs culturels et des rapports de force. Ils permettent en effet non seulement de varier le regard sur la vie, mais aussi, ne serait-ce que le temps de la lecture, de se glisser dans la peau des autres et d'éprouver ces sentiments éminemment subjectifs que sont le déracinement, l'exil, la coexistence interculturelle, le racisme. «Pour saisir différentes réalités, tant affectives que comportementales, [...] nous devons multiplier les parcours, pluraliser les approches, sortir d'une forme de logique univoque créée en Occident, nous tourner vers l'exploration romanesque ou cinématographique de la réalité[1].»

Bien que les romans se déroulent sur le mode fictif, et précisément parce qu'ils mettent ainsi à distance la réalité brute, ils permettent de mieux saisir la vérité du contact et du rejet, du dialogue et de la surdité des cultures. Ils ont donc une portée à la fois littéraire et anthropologique. À travers les personnages et leurs échanges, le lecteur s'initie aux différentes facettes des relations interculturelles dont les mécanismes sont à l'œuvre dans les romans — racisme, xénophobie, choc culturel, etc. — et, tout au cours du récit, passe de l'affectif au social, de l'individuel au collectif. De l'autobiographique à la science-fiction, en passant par les romans d'aventure, d'espionnage, historiques, policiers, psychologiques et même fantastiques, de nombreux écrivains ont placé les relations interculturelles au centre de leur œuvre, fournissant ainsi d'abondants témoignages sur les rapports entre nous et les autres. À une époque où l'éducation et la formation aux relations interculturelles sont de plus en plus nécessaires, la littérature ouvre donc une avenue prometteuse pour apprivoiser une réalité prégnante et problématique.

Bien que traité en littérature depuis plusieurs décennies, le thème des relations interculturelles a pris récemment

---

1. François Laplantine, *Transatlantique. Entre Europe et Amériques latines*, Paris, Payot et Rivages, 1994, p. 58.

une allure tout à fait particulière. On pourrait même parler d'expansion et de développement significatif de la thématique. À l'heure où l'immigration et le pluralisme ethnique constituent des enjeux politiques et sociaux, il est tout à fait compréhensible qu'il en soit de même en littérature. Or, devant la pléthore de titres qui abordent le thème qui nous intéresse lesquels retenir ? Le choix est certes difficile. Mais il ne faut pas oublier qu'il ne suffit pas que les personnages aient un nom étranger ou que le récit se déroule dans une contrée lointaine pour qu'un roman puisse être dit traiter des relations interculturelles. Il faut que le thème de l'altérité soit au centre même du récit et qu'il y ait une interaction entre groupes culturels, que la relation interculturelle soit au cœur du roman et lui serve de moteur. Que les textes soient anciens ou récents, autobiographiques ou fictifs, qu'ils traitent de cultures autochtones, nationales ou immigrées, l'important c'est que l'interculturel soit l'élément qui fait progresser le récit. Et, dans les sociétés multiethniques occidentales actuelles on voit émerger un nombre toujours plus grand d'écrivains tantôt issus de l'immigration tantôt de groupes minoritaires nationaux ou ethniques qui, souvent sous forme autobiographique, racontent sur le mode de la révolte le quotidien de la marge. « Loin d'être une lacune, cette rébellion a pris l'allure d'un nouveau genre d'écriture dans lequel s'expriment des sensibilités métissées, des révoltes qui explosent dans les mots d'humour, des histoires de vie que l'on repeint avec de la peinture relativisante, c'est-à-dire la réflexion du recul critique [2]. » On peut donc imaginer que les écrivains vivant et produisant dans de nouvelles conditions sociales et dans des contextes différents, tel celui de la pluralité urbaine ou de la décolonisation, vont développer une vi-

---

2. Azouz Begag et Abdellatif Chaouite, *Écarts d'identité*, Paris, Seuil, « Point-Virgule », 1990, p. 101.

sion particulière des relations interculturelles ainsi qu'une approche littéraire originale.

Nous proposons donc d'examiner comment certains écrivains des dernières décennies en parlent, comment ils décrivent les rapports avec autrui. Nous avons ainsi retenu dix romans dont la moitié sont autobiographiques, les autres fictifs. Quoiqu'ils aient été écrits à des époques et dans des lieux différents, les thèmes sont sensiblement les mêmes. Ils témoignent de déchirements, de désarroi culturel, de marginalité, de rejet, d'aliénation, de racisme, d'ethnocentrisme, d'acculturation, de rapports conflictuels avec la société, de violence et de démêlés avec la police. Ils dénoncent l'injustice sociale, exposent les différentes figures de l'exploitation et de la domination, témoignent du caractère profondément humain et émotif des relations interculturelles. L'amitié, la solitude, la différence de toute nature et l'intégration sociale en sont les thèmes centraux. Ils montrent que la quête et la formation de l'identité des uns et des autres demeurent au cœur de toute relation interculturelle. Ces romans transmettent en même temps des connaissances historiques, sociologiques, psychologiques, ethnographiques. Ce sont, en somme, des révélateurs privilégiés de la nature complexe des rapports interculturels.

Les œuvres qui nous serviront de guides sont donc les suivantes. *Les Boucs*, de Driss Chraïbi, présente, à travers son personnage principal, Yalann Waldick, un tableau saisissant de la vie des immigrés nord-africains à Paris dans les années cinquante. L'aliénation et la violence des uns, les préjugés des autres, le racisme, le mariage mixte comme processus d'intégration et de promotion sociale sont au centre des relations entre les Français et les immigrés arabes. D'une manière plus générale, l'auteur pose la question du rapport entre le monde occidental et le monde arabe.

Trente-cinq ans plus tard, la situation ne semble guère

avoir évolué. L'Arabe demeure toujours un immigrant pour les Français. Toutefois l'Arabe dont parle Mehdi Charef dans *Le thé au harem d'Archi Ahmed* est celui, né en France, qui, dans les années quatre-vingt, vit en situation pluriethnique. Les adolescents que le roman met en scène sont aux prises avec les valeurs défendues par leurs parents issus de l'immigration et celles de la société française. De « deuxième génération », ils partagent cependant la réalité socioéconomique de plusieurs jeunes Français issus de milieu pauvre et monoparental. C'est par le biais de l'amitié entre deux garçons, Pat, de vieille souche française, et Madjid, d'origine maghrébine, que le lecteur accède à la cité et explore le jeu des rapports d'altérité : entre adolescents de diverses origines ethniques, entre eux et leurs parents, entre hommes et femmes, et entre gens de statuts sociaux différents. Ici, la dimension culturelle et ethnique interagit continuellement avec les dimensions sociales, générationnelles et sexuelles.

Jouant sur la notion du semblable et du différent, *La vie devant soi* de Romain Gary est un roman parsemé de réflexions philosophiques et de commentaires acerbes sur divers contextes de rencontres interculturelles (guerre d'Algérie, situation des juifs dans le monde, seconde guerre mondiale, prostitution, colonisation en Afrique). Tout en suivant la relation amoureuse entre Mme Rosa, une personne âgée d'origine juive polonaise, et Momo, un enfant d'origine arabe-musulmane, Romain Gary nous fait pénétrer dans l'univers des incompris, des marginaux, de ceux qui sont différents par leur origine nationale, par leur religion, par leur métier, par leur orientation sexuelle.

Dans *Obasan*, Joy Kogawa aborde la question de l'intégration sociale et culturelle. Elle relate les difficiles relations entre les Canadiens d'origine japonaise et les Canadiens, tout en posant la question des rapports qu'on entretient avec les cultures, celle du pays d'émigration et celle du pays d'accueil, et le passé : le renier, l'oublier, ou au contraire se battre pour qu'on en retienne les leçons.

C'est également d'intégration que parle Fred Uhlman dans *L'ami retrouvé*. Il raconte l'amitié et l'admiration qu'un jeune juif allemand, Hans, voue à un étudiant aristocrate, Conrad, et comment leur relation deviendra de plus en plus tendue à l'époque nazie, au cours de laquelle se manifestent préjugés, intolérance, vexations et haine. Pour la famille juive de Hans, tout comme pour les immigrés d'origine japonaise dans *Obasan* et pour les immigrés arabes dans *Les Boucs*, combien faut-il d'années et de générations pour être et se sentir socialement intégré ?

Black boy de Richard Wright se déroule dans le climat de terreur du sud des États-Unis, où la pauvreté, l'aliénation, la résignation et la ségrégation frappent les Noirs américains. Tout en prenant conscience de cette situation, le jeune Wright est déchiré entre ses parents et la communauté puritaine noire, d'une part, et la société américaine blanche, de l'autre. Par parenthèse, tout comme Charef, Wright se distingue radicalement de ses parents analphabètes. Aujourd'hui, on dira de ces auteurs qui prennent la plume pour raconter ce qu'ils ont vécu et dénoncer des situations de discrimination et d'aliénation, qu'ils ont contribué à faire reconnaître la réalité de leur communauté.

Dans le roman policier *Là où dansent les morts*, Tony Hillerman aborde, lui, les relations interculturelles entre les Américains et les autochtones considérées comme des minorités nationales. Il pose la question de savoir si, pour résister à l'assimilation dans une culture étrangère, il faut qu'une société ait une densité particulière et s'il est possible de devenir l'autre comme tente de le faire George dans le roman. Et encore, lorsqu'on n'est ni l'un ni l'autre, comme dans le cas des Métis ou des descendants d'immigrants, en particulier de la deuxième génération, comment devient-on soi ?

C'est de cette problématique et de désarroi culturel que parle Gabrielle Roy dans *La rivière sans repos*. Sur fond de colonisation récente du Nord et des rapports politiques inégaux entre Inuits et Canadiens, une jeune Inuit a un enfant à la suite d'une aventure forcée avec un soldat américain. L'éducation du jeune métis l'accule constamment à des choix culturels souvent impossibles. Que transmettre à cet enfant : les valeurs traditionnelles inuits, perçues comme plus ou moins adaptées au contexte de modernisation, ou les valeurs des gens du Sud, plus ou moins significatives pour les Inuits ? (Gabrielle Roy utilise le terme Esquimaux, mot couramment employé à l'époque, pour désigner les autochtones du Nord. Depuis, on l'a remplacé par Inuits.)

Le souffle de l'harmattan de Sylvain Trudel aborde les thèmes de la différence, de l'identité et de l'amitié entre les enfants. Par le biais d'une relation entre un jeune Québécois et un jeune Africain, tous deux adoptés, l'auteur commente les relations inégales entre le Nord et le Sud, en particulier celles de l'Amérique du Nord et de l'Afrique. On sait que ces relations se sont établies dans un contexte de coopération et d'aide internationales, à la différence de celles entre l'Europe et l'Afrique, nées dans un contexte de colonisation et qui se prolongent dans celui de la décolonisation.

Finalement, nous retiendrons le roman de science-fiction d'Alfred E. Van Vogt, *À la poursuite des Slans*. Ce texte pose la question de la hiérarchisation des groupes humains. Dans une perspective évolutionniste, il traite des différences physiques et culturelles des groupes — dans le récit, l'un succède à l'autre en raison de sa supériorité intellectuelle et de ses performances physiques. Le roman rend compte de nombreuses croyances occidentales qui alimentent l'ethnocentrisme et le racisme, notamment que la supériorité technologique est signe d'une plus grande intelligence, qu'en situation de compétition le plus fort l'emporte et que le métissage conduit à la dégénérescence des groupes. Les relations entre les individus en concurrence témoignent de sentiments profondément racistes.

Les questions que nous poserons à ces romans sont simples. Nous nous demanderons d'abord comment sont présentés les personnages et les groupes ethniques, quelles sont leurs principales caractéristiques identitaires tant d'un point de vue culturel que social. Les personnages romanesques se présentent à la fois comme des individus singuliers, notamment par leur expérience de vie, par le lien qu'ils entretiennent avec leurs différents groupes d'appartenance et par leurs stratégies personnelles dans le jeu des relations sociales, et par le lien qui les unit à l'espace et au temps.

Nous essaierons de comprendre ensuite le va-et-vient entre les espaces occupés par les uns et les autres. Par exemple, les mêmes quartiers sont-ils accessibles à tous ? Est-on invité ou non dans la maison de l'autre ? Quand va-t-on chez lui ? La temporalité est-elle également partagée ? Permet-elle la rencontre ?

Nous examinerons comment la rencontre se déroule. Tout rapport d'altérité se traduit par un langage qui l'enracine et qui oriente l'interaction. L'échange, verbal et non verbal, reflète, souvent sans qu'on s'en avise, à la fois les valeurs culturelles des protagonistes et la perception que chacun a de l'autre. Les expressions, le lexique pour nommer et aborder les autres révèlent la façon dont les groupes se définissent et se situent mutuellement.

La communication interculturelle est influencée par divers facteurs. Une langue commune n'est pas garante d'une bonne communication. Au-delà des mots, il y a la valeur que chaque groupe leur donne. Tout langage verbal est accompagné d'un langage non verbal dont les codes et la signification sont propres aux membres d'une communauté. Ainsi la communication peut être partielle, inefficace ou superficielle, voire illusoire, lors des contacts interculturels si les interlocuteurs ne sont pas attentifs ou sensibilisés aux codes culturels des autres.

L'action constitue la partie événementielle du contact interculturel. Selon la perception que l'on a d'autrui, chacun adopte des comportements et des attitudes témoignant de la qualité de la relation. Cela peut aller de la tolérance au rejet, de la violence à l'empathie, ou encore à l'adoption de lois, règlements, décrets.

La dernière question que nous poserons est de savoir pourquoi on rencontre ou on évite l'autre ? Chaque groupe culturel élabore ainsi un discours qui justifie et explique à la fois ses préjugés, ses relations avec les autres, sa conception du monde et ses comportements culturels.

Cette série de questions (qui ? où ? quand ? comment ? pourquoi ?) permet de cerner la qualité des relations interculturelles décrites dans les romans ainsi que les différentes dimensions des rapports avec autrui : rapports spatio-temporels, cognitifs, affectifs, sociaux, identitaires. Les relations interculturelles prennent diverses tournures tant pour une collectivité que pour l'individu, qui, face à l'altérité, adopte selon ses expériences de vie une stratégie particulière dont le but est à la fois de camper son identité personnelle et de se faire reconnaître par ses pairs.

Les pages qui suivent abordent donc les relations interculturelles à travers les parcours de vie de Hans et Conrad, Nomi, Emily et Stephen, Pat et Madjid, Habéké et Hugues, Elsa et Jimmy, Yalann et les Boucs, Leaphorn et les autres. À travers des rapports d'altérité tendus ou amicaux, on découvrira leurs pensées et leurs tourments. Et l'on comprendra sans doute mieux ce que sont les relations interculturelles.

Je voudrais pour terminer remercier chaleureusement Ginette Brochu et Sylvie Vincent pour leur participation à la cueillette des données romanesques et leur fine analyse lors de la recherche qui a inspiré cet ouvrage. Je leur suis profondément reconnaissante pour leurs commentaires et leur générosité.

Je remercie aussi mes collègues du réseau collégial pour les nombreux échanges que nous avons eus sur les relations interculturelles et sur la littérature, ainsi que tous ceux qui m'ont aidée à la préparation de la version finale du manuscrit.

Je remercie enfin pour leur aide financière la Direction générale de l'enseignement supérieur, programme d'aide à la recherche sur l'enseignement et l'apprentissage, et le ministère du Patrimoine canadien.

Une première version de cet ouvrage a été publiée sous forme de cahier par le collège Édouard-Montpetit. Je le remercie de m'avoir autorisée à en reprendre ici de larges parties.

Chapitre 1

Un monde de cultures

« Chaque homme est semblable à tous les autres,
semblable à quelques autres, semblable à nul autre. »

CLYDE KLUKHOHN

Tous les êtres humains sont issus d'une collectivité qui leur
transmet non seulement des connaissances et des interpréta-
tions du monde qui les entoure mais aussi des habiletés pour
entrer en contact avec leur entourage tant naturel que social
et spirituel. Il faut être entouré d'humains pour le devenir
soi-même ; c'est ainsi par imitation et par échange que se
transmet la culture, qui est le propre de notre espèce.

La culture occupe aujourd'hui plus que jamais une
place privilégiée dans notre appréhension des rapports d'altérité. Elle se partage, s'apprend, se transforme et, dans le
temps comme dans l'espace, elle se manifeste sous plus d'une
forme. Son immense variabilité la rend d'une grande com-

plexité. Dans un monde caractérisé par l'interdépendance des sociétés, par les innombrables échanges, par les fréquentes rencontres et par l'ouverture des frontières, on doit désormais l'aborder en tenant compte des situations de contact sans pour autant négliger ce qui la rend particulière.

Dès la naissance, l'enfant est totalement immergé dans un environnement culturel qui aura tôt fait de lui imposer ses traits tant en termes de connaissances et d'habiletés que dans la façon de penser, de sentir et de percevoir le monde. Nous en sommes tellement imprégnés que nous trouvons «naturels» des faits, des croyances et des attitudes qui, en fait, sont «culturels», c'est-à-dire propres aux membres d'un groupe. Ne disons-nous pas qu'un tel a «la danse dans le sang»? Ou comme l'écrit Gabrielle Roy dans *La rivière sans repos*: «Pour ce qui est des parents esquimaux d'un *naturel* tout plein d'indulgence, ils n'auraient sans doute pas fait grand obstacle à la rencontre de leurs filles avec les jeunes hommes des USA» (Roy, p. 117, nous soulignons).

Contrairement aux caractères biologiques, qui se transmettent par hérédité, les valeurs et les comportements culturels, qui dépassent les individus, doivent être appris. Les cultures, chacune à sa manière, favorisent des modes de transmission particuliers. Par exemple, dans *Là où dansent les morts*, le jeune George en perdant sa mère se voit coupé de sa société et surtout de la culture navajo généralement transmise par la lignée maternelle. Il se tournera vers la culture zuñi et tentera de la faire sienne. C'est par un processus d'enculturation que, dès la naissance, on adoptera et intégrera les modèles valorisés par son groupe culturel. Toutefois, au cours de sa vie, on pourra se distancer de ses modèles, les échanger, y renoncer ou y revenir.

Chaque culture en tant que système cognitif apprend ainsi à ses membres un ensemble de comportements à la fois communs à tous et particuliers au groupe, qui le distinguera des autres. Elle prévoit des attitudes pour les diverses situations de la vie. Elle indique comment on doit agir et se comporter à l'égard de l'autorité, vis-à-vis des parents, amis ou étrangers, face à la vie ou à la mort. Dans *Là où dansent les morts*, par exemple, la conception navajo de la mort n'est pas celle des Zuñis. Contrairement à ces derniers, qui imaginent les défunts ensemble dans une sorte de paradis, les Navajos pensent qu'à la mort on retourne au néant. Cependant beaucoup d'entre eux voient leur partie malsaine condamnée à rester sur terre et à y errer éternellement. Les morts deviennent donc des fantômes malheureux et malveillants qui hantent leurs anciens lieux de vie en propageant la maladie et le mal. À la mort de Shorty, le père de George, l'auteur écrira : « Désormais le hogan était glacé, lui était hostile, occupé non plus par Shorty Bowlegs mais par son fantôme : un fantôme qui, ainsi que le croyaient les Navajos, ne représentait que ce qu'il y avait de faible, de méchant et d'agressif dans la nature de son père » (Hillerman, p. 95). Devant une grossesse non désirée, Elsa, la jeune Inuit de *La rivière sans repos*, et ses parents réagiront selon ce qu'ils ont appris : « Elle-même ne s'en montra ni accablée ni contente. C'est une chose qui arrivait. Que ce fût avant le mariage ne jetait pas de discrédit. C'eût été plutôt le contraire. Les parents d'Elsa ne se montrèrent pas indignés » (Roy, p. 129).

Le modèle culturel appris permet à tous les membres de se comprendre, d'interpréter, de découper et de juger la réalité selon les mêmes références. Ainsi chaque groupe envisage une même situation en fonction de ses propres critères et valeurs. Dans *Là où dansent les morts*, l'utilisation du peyotl, plante hallucinogène qui contient de la mescaline, est interdite par les Américains, mais prisée par les Navajos. Les uns et les autres réagissent donc différemment devant la drogue. Ainsi lorsqu'un jeune hippie nommé Otis semble délirer, le policier navajo demande à ses amis s'il a pris du peyotl. « Ça ne peut être du peyotl répondit [l'Américain]. C'est illégal, ce truc-là, non ? – Ça dépend [répondit le policier navajo]. La tribu considère que c'est tout à fait légitime si c'est fait dans un but religieux. On l'utilise dans le cérémonial de la Native American Church et bien des gens du Peuple en font partie. En fait, quand quelqu'un prend du peyotl dans le cadre de sa religion, nous ne le remarquons pas » (Hillerman, p. 68).

Aucune culture n'a le même point de vue pour comprendre un fait, un événement, ou une réalité telle que la famille, la religion, la nature, l'histoire, la communication. Ce qui peut donner lieu à divers malentendus lors d'échanges interculturels. Certaines cultures privilégient la connaissance scientifique des événements, d'autres auront une perspective plus naturaliste ou religieuse, par exemple, pour déterminer la cause d'une catastrophe ou d'un bienfait. Dans le roman de Hillerman, les Zuñis accordent, dans le quotidien, une grande importance à la religion : « Si ces cérémonies [religieuses] ne se déroulaient pas conformément aux règles, la pluie ne tombait pas, les récoltes ne poussaient pas, et la maladie comme la malchance envahissaient la terre » (Hillerman, p. 209).

Si les membres d'une même culture intègrent des modèles culturels se rapportant aux valeurs et aux comportements, ils apprennent aussi à former leur esthétique, c'est-à-dire à juger ce qui est beau et laid, ainsi qu'à exploiter leurs sens selon les critères du groupe. Ainsi le toucher, le regard, l'ouïe, le goût et l'odorat peuvent être mis à profit ou interdits selon les situations. Dans *La rivière sans repos*, de jeunes Inuits, réagiront culturellement au cinéma américain : « Ce soir-là, un vieux film de Clark Gable excitait leur verve. D'abord, contrairement à beaucoup de spectateurs dans le monde, elles avaient trouvé fort laid ce grand acteur, mais en revanche, drôle comme pas un lorsqu'il embrassait l'héroïne» (Roy, p. 120). Ainsi, pour Elsa et ses copines, s'embrasser sur la bouche est chose qui suscite le rire. Si tous les êtres humains ressentent colère, peine et amour, l'expression en sera différente, ils seront étouffés ou libérés selon qu'on a grandi dans l'un ou l'autre groupe culturel. Par exemple, *Là où dansent les morts* insiste sur la non-violence de la culture zuñie, particulièrement pendant le Shalako. Même la colère intérieure est réprouvée car elle affaiblit les liens avec le surnaturel : « Et il [Ernesto] aurait eu de bonnes raisons d'être en colère contre lui [George] si l'époque de l'année ne l'interdisait pas » (Hillerman, p. 13). La mort du jeune Ernesto Cata ne provoque ainsi pas de mouvement d'irritation chez ses parents ou chez le policier zuñi, qui manifeste en revanche son infinie tristesse devant le sang perdu par le petit, ce sang qui est zuñi.

Finalement il faut se garder de réduire une culture à ses seules expressions matérielles, habillement, technologie, architecture, alimentation. On ne ferait de cette manière que dresser une liste de traits ou de caractéristiques qui, certes facilement observables et identifiables, ne sont pas toujours compréhensibles pour autant et peuvent susciter des malentendus ou donner lieu à une fausse interprétation des choses. La culture ne réside pas dans l'un ou l'autre de ses faits observables, ni dans leur juxtaposition, mais dans leur lecture et leur interrelation. Pour comprendre la dynamique des relations interculturelles, il faut donc tenir compte tant de l'aspect implicite que de l'aspect explicite de la culture.

Cela dit, personne ne fait totalement siennes toutes les manifestations d'une culture, qui traverse les générations et se présente un peu comme un livre de références qu'on adopte, consulte, utilise, réinterprète selon le contexte socio-historique. D'ailleurs, si chaque individu est rattaché à une culture, il fait aussi partie, à l'intérieur de celle-ci, de différents groupes d'appartenance (classe sociale, caste, groupe d'âge, groupe régional, urbain ou rural, etc.) et en hérite les particularités, qui le distinguent des autres sous-ensembles. Bien qu'il soit de culture allemande, Conrad, dans *L'ami retrouvé*, se distingue de ses camarades de classe, et de Hans en particulier, par ses liens avec l'aristocratie et par sa religion catholique. Plusieurs facteurs endogènes notamment les conditions socioéconomiques et l'expérience de vie singulière peuvent influer sur le comportement culturel des membres d'un groupe donné. Il est donc important et nécessaire de s'attarder aux variations culturelles à l'intérieur d'une même collectivité.

On parlera ainsi de la culture ou de la sous-culture[1] de tel quartier d'une grande ville comme celle de la cité dans *Le thé au harem d'Archi Amed*, de la culture des adolescents, de la culture des policiers ou des professeurs ou encore de la culture des prostituées dans *La vie devant soi*. Il en va de même de la culture immigrée[2] des Canadiens d'origine japonaise dans *Obasan*. Cette culture immigrée qu'on voit à l'œuvre dans un contexte d'immigration comporte trois aspects. D'abord, l'expérience de départ des migrants, la rupture avec leur lieu d'origine, leurs racines culturelles et sociales. Ensuite, l'expérience de la différence culturelle et de la nécessité de comprendre et d'adopter, au moins en partie, la culture des membres de la société d'accueil, comme le décrit Madjid dans *Le thé au harem d'Archi Amed*: «Le soir, quand il rentre, Madjid trouve sa maman assise devant la

---

1. On désigne ainsi des modes de penser et d'agir particuliers à certains groupes sociaux qui, par ailleurs, peuvent partager une culture globale, commune à l'ensemble d'une société. Pour éviter de confondre sous-culture et culture inférieure, on préfère parfois le terme subculture. Quoi qu'il en soit l'idée est que chaque groupe social, professionnel, ethnique, d'âge, a des caractéristiques qui le distinguent de ses voisins.
2. Marco Micone, «Occultation et émergence de la culture immigrée», *Impressions*, janvier 1990, p. 4-7.

cuisine, à éplucher les pommes de terre. Malika sur une chaise, Madjid n'a pas encore l'habitude. En Algérie, on mangeait par terre, on discutait par terre, et c'était bien. Faut suivre, sinon les voisins...» (Charef, p. 118).

Enfin, l'expérience d'arrivée et d'intégration dans la société d'accueil, qui prend souvent la forme d'un choc culturel et d'un repli sur soi comme les a vécus Malika, une Algérienne, à son arrivée à Paris. Madjid, son fils, décrit la scène : «Malika avait gardé son voile, perdue entre deux civilisations. Elle fut la curiosité des banlieusards qui allaient pointer au bureau [...]. Son haïk, elle l'avait acheté exprès pour le voyage. C'est son costume de première, et elle découvre qu'ici les femmes n'en portent pas. Dur pour elle!...» (Charef, p. 116). Quelques jours plus tard, la famille de Madjid est installée : «Elle n'ose pas encore sortir, parce qu'ici les femmes n'ont pas de voile et elle ne se voit pas dans la rue sans haïk. Elle n'ose pas encore» (Charef, p. 118).

La notion de culture immigrée, caractérisée par son aspect transitoire, rend compte de la situation complexe du nouvel arrivant tant sur le plan social qu'affectif. Les immigrants n'arrivent cependant aux portes de la société d'accueil qu'avec une partie du bagage culturel de leur groupe d'origine.

Les cultures ne sont figées ni dans le temps ni dans l'espace. L'idée d'une culture «pure», non métissée, sans apport extérieur, relève de l'utopie; la chose n'est du reste pas souhaitable. Depuis toujours les cultures se modifient, à des rythmes différents bien sûr, sous l'influence de facteurs intérieurs et extérieurs comme lorsque des immigrants arrivent dans la société d'accueil. Ils constituent l'un des facteurs qui alimentent une culture et une société et qui assurent leur évolution. Sous les impératifs de la colonisation, la culture inuit du roman de Gabrielle Roy sera confrontée à d'énormes remaniements et de profondes transformations. Ainsi, comportements et valeurs peuvent disparaître, se modifier, se réinterpréter selon les contextes. L'aménagement continuel d'une culture témoigne de sa vitalité et de son dynamisme.

Les situations de contact entraînent des changements culturels chez les groupes en présence. Bien que l'acculturation se fasse dans la réciprocité, c'est-à-dire que le changement ne s'opère pas seulement au sein d'un seul groupe culturel, mais touche tous les groupes en présence, elle ne se réalise pas nécessairement dans un contexte social égalitaire. Par exemple, sous la pression de la colonisation, d'une conquête ou d'une guerre, les cultures, qu'elles soient dominantes ou dominées, s'interpénètrent, s'interinfluencent et peuvent ainsi se modifier. Toutefois, le sens et la vitesse de la modification dépendent de plusieurs facteurs, selon le type de sociétés en présence, le contexte économique de chacune d'elles, leur démographie, etc.[3]. Outre l'époque et le cadre social dans lequel ces relations ont lieu, le type de cultures en présence et la façon dont se développent les contacts influent également sur la qualité des relations.

Les situations de contact

On ne peut isoler un fait, un geste, une parole entre des individus ou des groupes des conditions où ils apparaissent. Les rapports d'altérité naissent et se vivent dans un cadre socio-historique particulier qui les nourrit, en explique de nombreux aspects (la représentation que l'on se fait de l'autre, la place que chacun occupe dans la société, les rap-

---

3. Roger Bastide a proposé une typologie des situations de contact. Il en a identifié douze que l'on retrouve expliqués dans Denys Cuche, *La notion de culture dans les sciences sociales*, Paris, La Découverte, « Repères », 1996, p. 60-61.

ports sociaux existants) et donne signification aux actions des uns et des autres. Les conditions de la première rencontre déterminent la qualité de la relation, et cela non seulement dans le présent mais pour des années, voire des siècles, et ils expliqueront plusieurs réactions et comportements futurs. Pour bien comprendre les relations entre différents groupes culturels au sein d'une même société, on ne doit ainsi pas oublier le cadre dans lequel se sont déroulés les premiers contacts. Ils peuvent avoir laissé des souvenirs douloureux, des cicatrices, des préjugés, des rancœurs qui risquent de se transmettre d'une génération à l'autre et d'envenimer à long terme la communication.

Les contacts entre groupes culturels peuvent être sporadiques, par exemple lors d'échanges économiques, politiques, artistiques. Si, de tout temps, les populations ont maintenu entre elles des contacts, ceux-ci sont devenus, au fil des siècles plus fréquents et plus pressants, et aujourd'hui plus que jamais les sociétés se concertent et entretiennent divers types de rapports. Les groupes occupant un espace national constitué en pays entretiennent avec l'extérieur des contacts occasionnels, souvent au gré de décisions politiques ou sous les impératifs du marché. Ces relations sont rarement de nature égalitaire.

De nos jours, les sociétés ont pratiquement toutes un caractère multiethnique. Y coexistent de manière permanente différents groupes ethniques, religieux, linguistiques. La qualité de leurs relations dépend ici de plusieurs facteurs. Quand et comment ces groupes se sont-ils rencontrés ? S'agit-il d'une coexistence due à l'immigration ? à la colonisation ? à une invasion ? à l'esclavage ? Quelle représentation les groupes ont-ils les uns des autres ? La réponse à ces questions explique l'évolution et la nature de leurs relations actuelles ainsi que la dynamique des rapports sociaux.

Par exemple, aux États-Unis, les Noirs, les Amérindiens et les Italo-Américains entretiennent des rapports différents avec l'ensemble des Américains. Certains groupes sont dits « ethniques », d'autres « raciaux ». Chaque groupe occupe dans cette société une place non seulement particulière mais aussi socialement hiérarchisée. Bien que la colonisation et l'esclavage appartiennent au passé, il n'en reste pas moins que les rapports établis jadis ont contribué à façonner l'identité des groupes en présence et à orienter leur interaction. Les faits historiques constituent la toile de fond des relations interculturelles actuelles et forment un atout ou au contraire érigent un obstacle à la rencontre interculturelle.

Les rapports d'altérité

Dans la vie de tous les jours comme dans les romans, les rapports d'altérité entre nous et les autres sont omniprésents. De quel groupe faisons-nous partie et comment se distingue-t-on des autres ? C'est par un va-et-vient continuel entre nous et les autres que chacun se positionne. C'est ainsi que l'altérité, suivant les circonstances, prendra différents visages, selon qu'on considère le groupe d'âge, la classe sociale, la ville ou le groupe culturel.

Équivoque, semblable et différent, attirant et menaçant, l'autre constitue un point d'ancrage et de référence pour que l'identité puisse s'exprimer. « Au commencement était l'Un et il fut heureux avec lui-même jusqu'à ce que, se regardant de près, il s'inventa une rupture interne. De l'autre côté de cette faille, il s'aperçut lui-même, mais différent. Alors, conservant pour lui le nom de l'Un, il donna à son vis-à-vis le nom d'"Autre". Le rapport d'altérité était né. Or, vécu comme un scandale, il installe le drame. La présence d'un différent de soi, en effet, constitue une menace.

Menace à l'intégrité, menace à l'identité[4].» Malgré la menace que constitue cet autre à la fois ombre et miroir, sa présence est nécessaire pour se définir.

Les romans montrent les multiples identités des personnages, celles de leur groupe d'appartenance. Par exemple, dans *Le thé au harem d'Archi Ahmed*, Madjid affiche peu son identité culturelle, mais il est décrit comme appartenant à un groupe d'âge, au groupe masculin et à un groupe social particulier dont il tire son identité globale. Pour Madjid comme pour tout le monde, la complexité des rapports d'altérité se révèle dans la dynamique des différentes identités. Face à l'altérité, les groupes humains adoptent différents comportements, éprouvent divers sentiments et entretiennent plusieurs types de rapports qu'on nomme hétérophobie, xénophobie-xénophilie, ethnocentrisme, mixophobie-mixophilie, racisme.

Hétérophobie

Albert Memmi appelle hétérophobie «un mécanisme [...] de refus terrifié et agressif de l'Autre quel qu'il soit[5]». Dans les termes de Langaney, ce comportement, qu'il appelle autrisme, est une réaction «dite naturelle de peur devant celui qui est identifié comme différent». Pour lui, l'homme est un «"animal visuel" (sinon "voyeur"!), ce qui explique qu'il réagisse fortement à l'aspect physique de ses congénères. Il s'agit ici non seulement du corps mais aussi des vêtements, et en outre du comportement, des gestes, des attitudes[6].» Toutefois rappelons que c'est par le biais de l'acti-

---

4. Sylvie Vincent, «Comment peut-on être raciste», *Recherches amérindiennes au Québec*, «Racisme et relations interethniques», vol. XVI, n° 4, 1986, p. 7.
5. Cité dans S. Vincent, *ibid.*, p. 8.
6. *Ibid.*

vité classificatoire pratiquée par chaque groupe culturel d'une manière très arbitraire, qui permet à tous les groupes humains d'appréhender la réalité et qui sera à la base des comportements. L'agressivité liée à l'hétérophobie peut se manifester verbalement ou physiquement. Elle est aussi canalisée par le mouvement culturel et, de ce fait, s'éloigne considérablement de la «nature». Dans de nombreuses sociétés, l'agressivité reste verbale et est ainsi tolérée. Mais l'agressivité physique, le plus souvent prohibée, est canalisée, dans le sport par exemple, voire réglementée.

Précisons que ce n'est pas tant la différence en soi qui suscite une réaction d'effroi ou d'attirance, mais la perception qu'on en a et l'interprétation qu'on en donne. La différence physique, sociale, sexuelle ou culturelle peut en outre être réelle ou imaginaire. Par exemple, certains croient que les juifs ont des caractéristiques physiques particulières. Au début du vingtième siècle, on en a même fait une race, alors que la judéité relève de l'appartenance religieuse, du mode de vie, c'est-à-dire de la culture plutôt que de la biologie.

Ethnocentrisme

Les membres d'un groupe culturel partagent une façon de voir le monde et d'appréhender la réalité. Ils possèdent sensiblement la même grille de lecture pour décoder le réel. Face aux différences des autres, chaque groupe les interprète, les structure et les hiérarchise en fonction de lui-même. Il devient le centre dont les autres sont la marge. La différence culturelle est ainsi expliquée et évaluée en fonction de son système de référence, c'est-à-dire de ce qui lui est familier. Le nous classe les autres à partir de lui-même et les juge par rapport à ses propres valeurs.

Chaque groupe humain croit que ses valeurs et ses comportements culturels, dans l'ensemble, sont les meilleurs et les plus civilisés, et qu'ils sont plus évolués que ceux des autres. Par conséquent, on a tendance à traiter les autres formes et pratiques culturelles comme barbares, inadéquates ou arriérées. On dira même parfois que certains n'ont pas de culture ou qu'elle est inférieure. Ainsi on perçoit les autres à travers ses propres lunettes culturelles et on les juge en fonction de sa propre conception du monde, de sa moralité et de son contexte social.

On appelle ethnocentrisme ce phénomène de classification et de hiérarchisation des différences à l'aune de sa propre culture. On se place en position de juge et on regarde les autres avec une certaine condescendance, voire du mépris. Dans *Les Boucs*, un prêtre français, missionnaire en Algérie, laisse entendre que sans la connaissance du latin, sans le savoir européen, Yalann demeurera un enfant ou un « sous-homme » : « Considère, mon enfant, dit-il. Si tu étais en France, tu apprendrais déjà le latin et le grec et dans dix ans tu serais un homme » (Chraïbi, p. 181).

L'ethnocentrisme est un phénomène qu'on considère souvent comme universel et dont l'origine coïnciderait avec les débuts de l'humanité. Bien qu'il contribue à maintenir l'identité culturelle d'un groupe en le rassurant sur ses valeurs, il donne lieu à des attitudes allant du rejet de l'autre, de ses valeurs et pratiques culturelles, à une violence extrême, et même parfois jusqu'à son extermination physique ou culturelle. L'ethnocide, c'est-à-dire la destruction systématique, souvent par des voies légales, de l'autre, en est une manifestation ultime.

Au cours de l'histoire, la colonisation a donné lieu à plusieurs manifestations d'ethnocentrisme, notamment celle d'interdire les pratiques religieuses des populations colonisées. Par ailleurs, dans le cadre de l'immigration, la rencontre avec les immigrants suscite aussi de part et d'autre des remarques ou des propos teintés d'ethnocentrisme.

Xénophilie et xénophobie

On appelle xénophilie l'attrait et l'intérêt qu'on peut avoir pour l'autre, qu'on considère comme exotique et, donc, lointain, ainsi que le dit Hans dans *L'ami retrouvé* : « Je regardais fixement cet étrange garçon, qui avait exactement mon âge, comme s'il était venu d'un autre monde. [...] Et là, à quelque cinquante centimètres de moi, était assis [...] sous mes yeux observateurs et fascinés. Le moindre de ses mouvements m'intéressait [...]. Tout en lui éveillait ma curiosité... » (Uhlman, p. 19 et 21).

Il arrive qu'on soit mal à l'aise dans son groupe culturel. On adoptera éventuellement alors des comportements à l'encontre de l'ethnocentrisme. On glorifiera la culture de l'autre au détriment de la sienne. L'autre, idéalisé, incarne dans ce cas le paradis perdu. Par exemple, dans *Le souffle de l'harmattan*, le monde africain d'Habéké inspire et meuble celui d'Hugues, dont l'univers occidental moderne est dit égoïste et hypocrite : « [...] parce que la vie moderne, c'est l'ère adulte avec ses mensonges, ses trahisons, ses carnavals d'aveugles... Le lundi matin, je me suis rendu au salon mortuaire parmi les cravates de l'hypocrisie et les jambes épilées de la beauté truquée » (Trudel, p. 100-101). Dans ce roman, Habéké est présenté comme intelligent, courageux, fort, inventif, sage et surtout croyant, par opposition aux athées du monde occidental : « Habéké Axoum c'était le plus intelligent de tous parce qu'avec ça il avait la naïveté et tout chez lui pouvait se faire. [...] Il parlait le français mieux que nous et son nom était tordant. [...] Tout de suite je l'ai trouvé extraordinaire. [...] Il avait le courage cet Habéké. C'était un vrai exemple. [...] Habéké, il a l'intelligence, le courage et les croyances qu'il m'enseigne avec le temps» (Trudel, p. 9, 21, 23, 95).

L'autre peut être sincèrement admiré pour la richesse de sa culture, certains de ses traits peuvent être enviés et il peut fasciner, tout en étant considéré comme primitif, sauvage et donc inférieur. Dans certains cas, lorsque cet autre idéalisé se rapproche de soi, il devient menaçant. On le regardera alors — lui ou d'autres étrangers — avec inquiétude. C'est ce qu'on appelle xénophobie, «ce sentiment d'inquiétante étrangeté, de mouvement personnel intérieur, qui ne se traduit pas nécessairement par un comportement violent, mais souvent plutôt par une opinion, un préjugé ou une conduite d'évitement[7]...»

Cette peur de l'étranger chez soi va de pair avec celle d'être mis de côté, ou, pis, de disparaître, sur le plan économique, social, politique, culturel ou territorial. Ainsi, l'hétérophobie de départ, c'est-à-dire la peur «spontanée» du différent, devient peur d'être déclassé par lui. On croit que l'autre est un envahisseur parce qu'il pourrait prendre non pas une place ni sa place mais la nôtre. Dans les moments de crise d'identité et d'insécurité collective, les étrangers deviennent facilement des boucs émissaires. On dira qu'ils sont des voleurs de jobs, qu'ils envahissent «nos» quartiers, «nos» écoles, qu'ils profitent de «nos» femmes et de «notre» générosité. Les comportements et opinions du groupe majoritaire envers eux deviennent contradictoires et peu nuancés, comme en témoigne Emily dans *Obasan*: «Une lettre dans les journaux raconte qu'afin de préserver le "mode de vie britannique", on devrait se débarrasser de nous tous. Nous constituons un peuple d'ordre inférieur. D'abord, on nous rejette en tant que peuple inassimilable et ensuite, on craint que nous ne nous assimilions. Un jour-

---

7. Lydia Flem, *Le racisme*, Paris, MA, « Le monde de...», 1985, p. 187.

naliste pointe du doigt ceux parmi nous qui vivent dans la pauvreté en disant : "Aucun sujet britannique ne vivrait dans de telles conditions." Puis, lorsque nous améliorons notre sort, un autre dit : "Il se pourrait qu'ils tentent de s'introduire dans nos meilleurs quartiers." Si nous sommes instruits, on se plaint du fait que nous cesserons d'être des "serviteurs idéals"» (Kogawa, p. 133-134).

Mixophobie et mixophilie

Lorsqu'il est question de relations interculturelles, la hantise du métissage, la mixophobie, et son contraire, la mixophilie, qui voit plutôt d'un bon œil le croisement, sont des sujets qui reviennent sous forme de peur ou d'obsession dans le discours des uns et des autres. Le métissage — tant le dégoût qu'il provoque que son attraction — est un thème discuté dans *À la poursuite des Slans*. Entre les Slans et les humains, les croisements ne peuvent avoir lieu que dans le but de satisfaire les plaisirs sexuels des humains ou pour assimiler totalement les Slans, en empêchant ainsi leur reproduction.

Selon Taguieff, la mixophobie est basée sur un préjugé à fondement biologique qui dit que le mélange des groupes — entendons «mélange des sangs» ou «mélange des races» — conduit à la dégénérescence d'une population[8]. Quant à l'idée d'une coexistence pacifique entre groupes culturels, elle passerait, selon les mixophobes, par l'interdiction du métissage. C'est ainsi que, dans *La rivière sans repos*, on attribue au non-métissage des vertus pacificatrices, comme en témoigne le grand-père d'Elsa : «Autrefois [...] Blancs et Esquimaux vivaient en bonne entente, sans mêler leur sang» (Roy, p. 206). Et lorsque la population blanche

---

8. Pierre-André Taguieff, *La force du préjugé*, Paris, La Découverte, «Tel», 1987.

augmentera dans le Grand Nord, avec l'arrivée, notamment, de l'armée américaine, la mixophobie des uns, encouragée par un certain paternalisme, sera encadrée par une loi interdisant aux GI d'avoir des relations sexuelles avec les Inuits.

La mixophilie encourage, elle, le métissage, ou du moins certains types de métissage. C'est ainsi qu'il existe des « mixophiles inconditionnels » qui croient que le métissage entre tous les groupes, même les plus dissemblables, ne peut être que bénéfique.

Racisme

Le racisme est une figure de la discrimination, pratique qui, elle, a traversé l'histoire et de nombreuses sociétés humaines — peut-être la plupart. Si la discrimination peut toucher différents groupes — femmes, jeunes, castes —, le racisme vise des racisés. C'est l'un des rapports d'altérité les plus violents. Si l'ethnocentrisme peut être dit universel et relève de la confrontation de valeurs culturelles, le racisme, lui, est un phénomène d'origine occidentale qui repose sur une conception biologique particulière de l'espèce humaine[9]. Le racisme est « un phénomène discriminatoire qui s'appuie sur l'invention d'une hiérarchie et l'exercice d'un pouvoir, le tout justifié par un mythe quel qu'il soit[10] ».

Le mythe consiste non seulement à croire que l'espèce humaine peut et doit être divisée en groupes biologiques indépendants, mais à attribuer à chacun d'eux des vertus ou des comportements socioculturels qui en feront des inférieurs ou des supérieurs.

Le racisme, malgré sa nature profondément relation-

---

9. Christian Delacampagne, *L'invention du racisme*, Paris, Fayard, 1983.
10. Sylvie Vincent, arricle cité, p. 14.

nelle et collective, se manisfeste ici et là par des pratiques individuelles. Il peut aussi devenir explosif, principalement lorsqu'il est organisé, structuré et cautionné par l'État. C'est le cas lorsque des membres d'un groupe se sentent dévalorisés ou méprisés, quand le climat social ou économique est incertain et insécurisant, et qu'un personnage charismatique incite à des actions discriminatoires[11].

Le racisme, qui se présente sous un visage rationnel quand il se réclame de doctrines pseudo-scientifiques pour rendre cohérentes des pratiques essentiellement irrationnelles, structure l'affectivité et la conviction de sa propre supériorité. La haine et le mépris qui en résultent se traduisent par un langage agressif ou hostile, des comportements plus ou moins violents et un système social basé sur la domination.

C'est un phénomène multiforme. Il varie selon le contexte, l'époque et le lieu où il apparaît. Si bien qu'il faudrait peut-être parler de racismes, au pluriel, même si on sait que les principes organisateurs du racisme sont les mêmes. Le phénomène se ramifie donc, selon qu'il se manifeste sur la scène quotidienne ou sociale, juridique, politique ou scientifique. Il peut habiter l'une d'elles, mais il peut également les miner toutes en même temps.

Sous sa forme scientifique, il a donné lieu à de nombreuses théories raciales, dans le domaine de la psychologie, notamment en rapport avec les recherches sur le quotient intellectuel, de même qu'en biologie, en sociologie et en anthropologie. Au début du vingtième siècle, les théories raciales ont, entre autres, alimenté les premiers discours d'Hitler et justifié la supériorité de la race aryenne — et sa soi-disant

---

11. Charles Rojzman, « La formation, une arme contre le racisme ? » Une expérience à Mantes-la-Jolie », *Face au racisme : les moyens d'agir*, tome 1, Paris, La Découverte, « Essais », 1991.

pureté — sur la race, « imaginée », des Juifs. On trouve le racisme scientifique à l'œuvre dans *À la poursuite des Slans*, qui témoigne du rejet violent des Slans par les humains ; dans *L'ami retrouvé*, on assiste aux balbutiements du racisme scientifique nazi à l'aube de la deuxième guerre mondiale qui évoluera vers un racisme d'État.

Le racisme colonial et postcolonial forme un système dans lequel les colonisateurs se considèrent comme supérieurs à la fois biologiquement et culturellement. Ce qui leur donne le droit — eux-mêmes diraient le devoir — de civiliser ceux que l'on étiquette comme inférieurs. Non seulement les colonisateurs imposent leur civilisation, mais ils s'approprient les ressources naturelles des colonisés, qui leur servent souvent de main-d'œuvre bon marché. Ici l'idéologie raciste est amalgamée aux pratiques colonisatrices créant un système d'exploitation particulier. *La rivière sans repos*, tout comme *Là où dansent les morts*, se déroule dans le contexte d'un racisme postcolonial mettant en présence les Canadiens, les Américains et les autochtones (Inuits et Amérindiens). Il en est de même dans *Les Boucs* et *La vie devant soi*, qui dénoncent les avatars de la colonisation française. Il n'est pas toujours facile d'isoler l'élément raciste d'un contexte politique. On remarque que dans ses manifestations les plus violentes, on pense à la deuxième guerre mondiale, au génocide rwandais, à la guerre en ex-Yougoslavie, le racisme s'associe et se confond avec d'autres phénomènes.

Le racisme institutionnel est celui que pratiquent parfois des organisations sociales, syndicats, école, police, tel ou tel ministère, etc. Il arrive en effet que les groupes sociaux « offrent leurs services de façon discriminatoire et ainsi suscitent ou perpétuent, chez un groupe donné, la pauvreté, l'ignorance, la maladie, le chômage, ou propagent une image appauvrie, négative ou fausse de ce groupe. Le pouvoir est exercé ici en vue d'une dévalorisation sociale et économique[12]». Ici, ce sont l'institution et ses pratiques qu'on dira racistes, mais pas forcément la société globale : une institution peut adopter des pratiques discriminantes sans que l'idéologie en soit partagée par tous. Mais si chacun des membres de la société et celle-ci dans son ensemble n'entreprennent aucune action personnelle et collective pour changer l'état des choses, il en résultera de la discrimination raciale soutenue par l'opinion publique. On trouve dans *Black boy* un très bon exemple de racisme institutionnel, celui dont sont victimes les Noirs américains du sud des États-Unis durant la période postesclavagiste. Il en est de même dans *Obasan* où les manifestations sont nombreuses et significatives notamment en ce qui concerne le droit à la citoyenneté des Canadiens d'origine japonaise.

Le racisme s'incarne souvent dans des groupes sociaux organisés comme le Ku Klux Klan ou les *skin heads* racistes. Il donne lieu à des comportements collectifs comme des rassemblements au cours desquels on pointe un bouc émissaire et à des mesures de promotion de l'idéologie raciste. Bien souvent on incite les membres à se comporter d'une façon violente. En deçà de cette violence, le racisme quotidien est insidieux. Recourant volontiers à une argumentation d'apparence rationnelle, il se manifeste par des gestes anodins de rejet et des pratiques individuelles discriminatoires comme lorsqu'un propriétaire blanc refuse de louer un logement à une famille noire, ou lorsqu'un voisin interdit à ses enfants de jouer avec Untel sous prétexte de son origine ou de sa couleur.

Si le racisme politique est porté par un parti qui aspire à prendre le pouvoir, le racisme d'État est celui qui inscrit la discrimination raciale dans la constitution même d'un pays et où les règlements et les lois traduisent cette idéologie.

---

12. S. Vincent, article cité, p. 13.

C'est le cas de l'ancienne Allemagne nazie et de l'Afrique du Sud sous le régime de l'apartheid.

Le racisme d'aujourd'hui, enfin, s'inscrit dans le contexte de la modernité urbaine. Si on ne peut encore en saisir la spécificité et l'ampleur, on peut toutefois noter qu'il emprunte plusieurs éléments, par exemple l'argumentation pseudo-scientifique et les préjugés, à des formes passées de racisme. S'il est particulier aux grandes villes occidentales, c'est qu'elles sont devenues à la fois très populeuses et très cosmopolites; l'écart entre les riches et les pauvres s'y est agrandi, la concurrence économique y est plus forte, l'intolérance à la différence se manifeste plus ouvertement. *Le thé au harem d'Archi Ahmed* ainsi que de nombreux autres romans récents (*Au front* d'Anne Tristan, et *Du feu pour le grand dragon* de KY, par exemple) s'inscrivent dans un contexte néo-raciste. Quant aux *Boucs*, qui se déroule dans le Paris des années cinquante, on dira que «trente-cinq ans après sa parution, le roman de Driss Chraïbi reste d'une poignante actualité».

Le racisme, quelle que soit sa nature, entraîne plusieurs conséquences. Sur le plan politique, il peut mener à l'élimination d'un groupe de citoyens, soit par leur expulsion du pays, soit par leur extermination. Tel est le cas, dans *L'ami retrouvé*, des juifs allemands. Sur le plan social, il engendre des relations inégales et instaure un système qui favorise les uns au détriment des autres. *Black boy*, par exemple, décrit les différentes formes d'exploitation sociale, économique et psychologique des Noirs par les Blancs. Non seulement, les inégalités raciales y sont-elles instaurées en système qui délimite socialement les groupes, mais elles assignent aux membres de chaque groupe des rôles et des comportements définis. Ainsi, Richard raconte comment Noirs et Blancs sont emprisonnés dans des rôles déterminés racialement et maintenus par le pouvoir en place: «Cependant, autour de moi, tous les Nègres volaient. [...] les garçons de l'hôtel chapardaient chaque fois qu'ils en avaient l'occasion. [...] Je savais que les jeunes Négresses employées dans des familles blanches volaient journellement de la nourriture pour augmenter leurs maigres gages. Et je savais que la nature même des relations entre Noirs et Blancs engendrait ce vol continu. Les Nègres de mon entourage n'avaient jamais eu l'idée de s'organiser, de quelque façon que ce fût, pour demander des gages plus élevés à leurs employeurs blancs. Cette seule idée les eût terrifiés et ils savaient que les Blancs auraient réagi avec promptitude et brutalité. Aussi faisaient-ils semblant de se conformer aux lois des Blancs avec des sourires et des courbettes, tout en laissant leurs doigts s'égarer sur ce qui se trouvait à leur portée. Et les Blancs paraissaient apprécier cette façon de faire» (Wright, p. 340-341).

Sur le plan psychologique, l'aliénation — qui rend un individu étranger à lui-même — est une conséquence extrême d'un système qui exclut et exploite l'autre. Dans *Les Boucs*, Yalann explique cette conséquence en décrivant les immigrés nord-africains : «[...] la vie les avait rendus prisonniers de leur hargne et égaux en misère. Jadis ils avaient eu un nom, un récépissé de demande de carte d'identité, une carte de chômage — une personnalité, une contingence, un semblant d'espoir. Maintenant c'étaient les Boucs. Pas une prison, pas un asile, pas une Croix Rouge n'en voulaient. Eux, honnêtement, faisaient tous les jours leur possible : des vols, des bagarres au couteau, des dépressions nerveuses — qui les eussent (ils continuaient de le croire) logés et nourris» (Chraïbi, p. 26-27). Dans *Black boy*, le narrateur raconte comment on fait participer les Noirs au système raciste par l'intermédiaire d'un directeur d'école qui expliquera à Richard : «"[...] j'envisageais sérieusement de vous donner un poste dans l'enseignement.

Mais tout bien réfléchi, je ne crois pas que vous fassiez l'affaire." Il me tenait, m'appâtait ; c'était la technique grâce à laquelle on amenait de jeunes esprits noirs à approuver et à défendre les conditions de vie dans le Sud » (Wright, p. 300).

Les romans regorgent d'exemples de discrimination érigée en système social caractérisé par l'inégalité et par une interprétation « naturalisante » des différences biologiques ou culturelles. Si le racisme est souvent considéré comme un système, une doctrine ou une idéologie, il se matérialise dans le langage verbal et non verbal, les actions et les sentiments individuels. Cela dit, insistons sur ceci que tout rapport d'altérité n'est pas forcément du racisme.

Relations interraciales, interculturelles, interethniques

« Relations interraciales », « relations interculturelles » et « relations interethniques » sont trois types de relations avec autrui qui, bien qu'elles recouvrent des réalités particulières, ont souvent été prises l'une pour l'autre et utilisées comme synonymes. Ces expressions sont nées d'approches théoriques des phénomènes d'altérité qui ont été élaborées pour étudier différents aspects des relations entre groupes humains. C'est dans la sociologie américaine qu'émergent, dans les années vingt, les *races relations* qui devaient étudier concrètement « des réalités sociales et interculturelles concernant, entre autres, les rapports entre Noirs et Blancs[13] ». Le terme « race » ayant été remis en question après la seconde guerre mondiale, tant parce qu'il était sans fondement sur le plan biologique que parce qu'il était employé négativement, on a évité le mot « interracial ». On s'est alors

---

13. Michel Wieviorka, *L'espace du racisme*, Paris, Seuil, 1991, p. 39.

tourné vers l'«interculturel» pour désigner les rapports entre groupes humains différents par leur façon de sentir, de penser et d'agir.

Quant à «relations interethniques», elles désignent le rapport entre des groupes qui se reconnaissent une identité ethnique particulière, définie par des systèmes symboliques comme la langue ou la religion.

Les romanciers désignent leurs personnages et les groupes d'appartenance par des noms — Noirs, Blancs, Esquimaux, juifs — qui reflètent la place et la distance sociales des uns par rapport aux autres. Le narrateur met l'accent sur l'aspect biologique des protagonistes, par exemple dans *Black boy*, ou sur leur identité ethnique ou religieuse. Il y a ainsi divers «couples» formés au cours de l'histoire, où l'un des groupes est caractérisé par son seul aspect physique alors que l'autre est défini par une référence nationale ou supra-nationale, ce qui le place au sommet d'une échelle raciale ou ethnique. C'est le cas des Noirs et des Blancs aux États-Unis, des autochtones ou des Inuits et des Blancs, au Canada. Mais il y a aussi des groupes «ethniques ou religieux» qui s'opposent au groupe national, juifs allemands et Allemands, par exemple, dans *L'ami retrouvé*.

Finalement, étudier les relations interculturelles, c'est analyser la rencontre interpersonnelle, intercommunautaire ou internationale de deux ou plusieurs personnes issues de groupes culturels différents. Selon Selim Abou, la culture est «l'ensemble des manières de penser, d'agir et de sentir d'une communauté dans son triple rapport à la nature, à l'homme, à l'absolu[14]». Et il précisera «que c'est au sein de sa société que l'individu élabore, consciemment ou inconsciemment, son expérience singulière à nulle autre

---

14. Selim Abou, *L'identité culturelle*, Paris, Anthropos, 1986, p. 30.

pareille». Si la *Culture* peut se théoriser, ce sont toutefois *les cultures* dans leur actualisation qui sont à l'œuvre dans les contacts interculturels. Ces derniers ont lieu dans un temps et dans un espace particuliers et contribuent au processus d'acculturation auquel tout groupe est soumis.

Ce temps est celui de la fin du vingtième siècle, et l'espace est celui du «village planétaire». On a depuis longtemps fait éclater les liens qui unissaient culture, territoire et langue, et pris acte de l'interpénétration des populations. Il s'agit maintenant de resituer la culture — dans son sens anthropologique — au sein des rapports d'altérité, et de la confronter aux différentes facettes de la réalité sociale. Un regard sur les relations interculturelles dans la littérature permet d'entrevoir des pistes.

Chapitre 2

Déterminismes temporels

Le temps dans lequel s'inscrivent les relations interculturelles leur donne un caractère dynamique et leur permet d'évoluer et de changer de forme. Il a donc un poids considérable dans l'équilibre fragile du rapport à l'altérité, activant ou amenuisant les tensions ou les rapprochements qu'il engendre. Il insuffle vie et mouvement à un contexte sans lequel les relations interculturelles n'auraient aucune signification. Il surdétermine tous les rapports, donnant naissance ici à l'amitié, à la solidarité, à l'amour, là, à l'amertume, au désespoir, à la rancune, à la violence. Il est porteur de préjugés, de faits sociaux ou politiques marquants et de façons d'être envers autrui.

Le temps n'est donc pas seulement important en ce qu'il situe historiquement ou socialement le récit, mais aussi parce qu'il détermine la nature et les expressions des relations interculturelles.

Deux aspects en sont particulièrement intéressants dans les romans. Le premier concerne le temps historique et social, c'est-à-dire l'époque particulière durant laquelle se déroule un événement ou une série d'événements politiques ou sociaux qui constituent la trame du récit romanesque. L'écoulement des jours, des mois, des années peut favoriser l'intégration d'un groupe minoritaire — culturel, ethnique ou religieux — au groupe majoritaire, ou au contraire exacerber sa résistance et accroître sa ségrégation.

Ainsi, *La rivière sans repos* commence au cours de la période qui suit la colonisation du Grand Nord québécois, au moment où les Américains s'apprêtent à quitter ces contrées glacées, et se poursuit jusque dans les années soixante-dix, ponctuées par la guerre du Viêt-nam ; *Obasan* fait référence à la seconde guerre mondiale et se situe dans la décennie qui l'a suivie ; *L'ami retrouvé* se déroule lors de la montée du nazisme ; *Black boy* couvre la première moitié du vingtième siècle ; *La vie devant soi* ainsi que *Les Boucs* se situent à l'époque de la décolonisation et de l'immigration nord-africaine en France ; *Le thé au harem d'Archi Ahmed* est plus contemporain et fait référence aux années quatre-vingt et quatre-vingt-dix, tout comme *Le souffle de l'harmattan*, qui, tout en étant contemporain, se situe dans le cadre des relations Nord-Sud ; *Là où dansent les morts* se passe dans la seconde moitié du vingtième siècle, durant la période hippie ; finalement, *À la poursuite des Slans* s'inscrit dans le futur.

Il importe de bien circonscrire le temps historique et social, car il permet de comprendre la dynamique et la qualité d'une relation interculturelle, quelle qu'elle soit. En effet, les événements socio-historiques influent sur les types de rapports sociaux, affectifs et cognitifs qui s'établissent entre membres de groupes ethniques différents et constituent un facteur décisif pour la construction de l'identité personnelle et sociale.

Mais ce temps de l'action est traversé par d'autres temps qui façonnent l'identité culturelle d'un groupe. Les récits romanesques permettent de distinguer cinq types de temps qu'on retrouve d'une manière plus ou moins déterminante dans les romans. Nous appellerons « temps mythologique» celui des origines lointaines du groupe; «temps des ancêtres» celui au cours duquel chacun des groupes culturels était maître chez lui, et qui est souvent associé au mode de vie imaginé et qualifié de traditionnel. Ces deux temps constituent les racines, fantasmatiques ou réelles, de l'identité du groupe. Le «temps premier», ensuite, sera celui durant lequel se rencontrent, à travers guerres, invasions, colonisation, immigration, les groupes culturellement en présence et où s'instaure un rapport de domination qui annonce le «temps du souvenir», qui fait écho au précédent et garde les traces d'un passé douloureux. Ces temps remodèlent l'identité et veillent non seulement à transformer culturellement les uns et les autres, mais aussi à positionner socialement ou politiquement les uns et les autres. Le «temps contemporain» est celui au cours duquel se jouent, dans le contexte du récit romanesque, les relations porteuses de faits historiques. Finalement, le «temps de l'avenir» est celui qui ouvre des horizons au devenir des relations interculturelles, affiche des possibilités nouvelles, tout en permettant d'espérer des relations plus égalitaires et au-delà du rapport entre dominant et dominé.

Le temps mythologique

Le temps mythologique renvoie à la genèse d'un groupe. Il retrace les origines lointaines et mythiques de la communauté tout en expliquant sa conception du réel et sa vision du monde pour bien en camper l'identité collective. C'est un temps primitif mais parfait, telles les pointes de sagaies recherchées sur un site archéologique, qui sont «de véritables œuvres d'art» et constituaient «une offrande parfaite aux dieux» (Hillerman, p. 227).

Dans *Là où dansent les morts*, on fait constamment référence aux mythes d'origine, principalement ceux des Zuñis, afin d'expliquer les comportements actuels et la vision du monde de la communauté. Ce roman entrelace deux histoires : celle, interculturelle, d'un jeune Navajo qui veut se faire initier à la religion zuñie; et celle, policière, d'un archéologue véreux qui, craignant d'être démasqué parce qu'il a sali un site archéologique, emprunte certaines pratiques à la religion zuñie pour tuer deux jeunes garçons amérindiens. C'est à travers les nombreuses allées et venues du policier navajo, Joe Leaphorn, entre les mondes zuñi, navajo et blanc que le récit explore la plupart des relations interculturelles. La cosmologie des origines qu'évoque cette histoire livre des informations importantes pour la compréhension du récit et le déroulement de l'enquête policière. Leaphorn tente constamment de comprendre la mythologie zuñie en interrogeant le père Ingles et Pasquaanti afin d'élucider le meurtre d'Ernesto et de retrouver son ami George avant que celui-ci ne soit lui aussi assassiné. C'est ainsi que, dans un continuum, le temps mythologique s'arrime au temps contemporain.

De manière générale, les personnages en quête d'identité se réfèrent au temps mythologique pour retrouver leurs racines ou s'en inventer. C'est le cas de Hugues, dans *Le souffle de l'harmattan*, qui emprunte à l'Afrique, par la bouche d'Habéké, un mythe d'origine : «Il racontait que l'arbre avait été abattu pour la confection de parchemins dans lesquels les Écritures racontaient la naissance de l'univers...» (Trudel, p. 76). Les deux jeunes garçons font régulièrement appel aux esprits africains et aux sorciers pour retourner aux sources. Ce qui donne bien souvent au personnage d'Habéké une touche d'exotisme et de mystère, tout en lui conférant un aspect «primitif».

Afin d'ancrer leur identité, mais surtout pour la définir selon leurs intérêts, certains groupes culturels créeront leur propre mythe d'origine et l'utiliseront à diverses fins, notamment pour justifier des actions qui visent bien souvent à exclure et à discriminer. Dans *L'ami retrouvé*, le mythe aryen est enseigné par un professeur pour légitimer la place des Allemands dans l'histoire et le combat qu'ils devront entreprendre contre les communistes et les juifs appelés «puissances des ténèbres, puissances qui sont partout à l'œuvre : en Amérique, en Allemagne, mais particulièrement en Russie» (Uhlman, p. 102).

Le temps des ancêtres

Contrairement au temps mythologique, le temps des ancêtres fait référence à une époque réelle et historique. Il peut couvrir plusieurs générations et constitue ce qu'on appelle communément le passé. Il correspond à une période durant laquelle le groupe culturel n'a été ni conquis, ni assimilé, ni dominé, ni colonisé, ni discriminé. À cette époque, le groupe a ou croit avoir une identité inentamée. Il se perçoit comme homogène culturellement ou biologiquement. C'est un temps dont on rappelle régulièrement l'existence parce que, d'une part, il atteste un enracinement dans l'histoire, et, d'autre part, parce qu'il rassure le groupe sur sa valeur et sa dignité. Si on ne connaît pas ses origines, diront certains personnages, on risque de se sentir inférieur aux autres.

Ainsi dans *L'ami retrouvé*, Hans, dont la famille est de tradition religieuse juive, décline sa généalogie en détail et sur plusieurs générations, pour justifier sa citoyenneté allemande, mais aussi pour démontrer l'imbrication des uns et des autres dans la définition de leur identité : «Les Hohenfels "des non-juifs" faisaient partie de notre histoire» (Uhlman, p. 20). La connaissance du temps ancestral et le sentiment d'un lien avec les aïeux aident les personnages à ancrer leur identité contemporaine. Et non seulement cette filiation confirme l'identité, mais elle justifie aussi des droits territoriaux et de citoyenneté.

Dans *Là où dansent les morts*, les Zuñis sont dits avoir une conscience aiguë de leurs liens avec leurs ancêtres. Ils se voient eux-mêmes comme la «Chair de la Chair» zuñie, ils communiquent avec les esprits de leurs aïeux, les kachinas — «essentiellement les esprits ancestraux des Zuñis, mais également les masques portés pour les personnifier et les statuettes qui les représentent. Ils protègent, nourrissent et guident les vivants auxquels ils apparaissent sous la forme d'un nuage de pluie» (Hillerman, p. 243) —, qui veillent et guident les vivants. Plusieurs cérémonies, comme celles du Shalako — cérémonies présidant au retour des esprits ancestraux zuñis aussi bien que certains kachinas — ou les gestes quotidiens des membres de la communauté, rappellent les liens avec les esprits ancestraux. Et l'un des motifs essentiels du roman est l'espérance de retrouver ces ancêtres après la mort dans un lieu de bonheur appelé Là-où-dansent-les-morts. La référence constante au temps des ancêtres témoigne de la vivacité et de la particularité de l'identité culturelle des Zuñis ainsi que de leur façon de voir le monde. Et c'est pour contrer cette vivacité, pour favoriser l'assimilation et proclamer ses propres valeurs que la société dominante, en l'occurrence occidentale, va dénigrer le temps des ancêtres auquel certains groupes se réfèrent. Ainsi le temps des ancêtres, surtout celui des autres, et les traditions qu'il recèle représentent une époque désuète. Tel est le cas dans *Là où dansent les morts*, comme le rapporte Leaphorn : «J'ai été dans une école secondaire des Affaires Indiennes, et dans l'entrée il y avait une inscription qui disait : "La Tradition est l'Ennemie du Progrès", le message étant qu'il fallait abandonner les coutumes ancestrales ou mourir» (Hillerman, p. 52).

Le temps des ancêtres rappelle aussi un mode de vie traditionnel qui propose des modèles auxquels on se réfère même si on sait que l'on n'arrive plus à respecter fidèlement les principes qu'ils ont établis. Pour certains membres de groupe colonisé ou dominé aux prises avec les exigences contemporaines, cet aspect traditionnel garantit le bonheur, l'équilibre, la liberté. Et l'aïeul, dans *La rivière sans repos*, de répondre à Elsa : « Comment était-ce par là, grand-père, au temps d'autrefois ? Le vieillard eut l'air heureux qu'on voulût bien faire appel à ses souvenirs. – C'était la sainte paix, mon enfant » (Roy, p. 180).

Le temps des ancêtres suscite souvent beaucoup de nostalgie chez les personnages. On imagine les aïeux semblables à ceux d'Elsa. Ce sont de « braves ancêtres si sobres » (Roy, p. 176), alors que la jeune fille, elle, s'est « créé des besoins inutiles [et s'est] embarquée dans le chemin sans issue des possessions dont on n'est jamais rassasié» (Roy, p. 176). Ce passé un peu paradisiaque est imaginé comme un temps presque sans problèmes ni tensions interculturelles. Pour Elsa, tenter de retourner à la vie traditionnelle est une stratégie personnelle pour enrayer le désarroi culturel, d'autant plus que cet ancien mode de vie rend son enfant heureux et plus équilibré.

Dans une relation où les uns doivent se définir par rapport aux autres, la référence au temps des ancêtres devient une marque de distinction ethnique. Les membres de la société dominante font référence au temps des ancêtres en soupirant comme ceux-ci étaient bien, entre eux, et comme ils étaient sans problèmes avant l'arrivée de l'autre auquel eux-mêmes doivent faire face. Pour les immigrants aux prises avec une intégration difficile dans la société d'accueil, les ancêtres et ce qu'ils représentent sur le plan affectif alimentent le mythe du retour au pays d'origine. Pourtant la très grande majorité d'entre eux n'y retourneront jamais.

Et bien que l'immigrant rappelle le temps des ancêtres à sa descendance, ce temps n'aura que peu de signification, sinon aucune, sauf celle que l'on fantasme. Le lien avec les ancêtres s'estompera, puisque l'identité de la génération actuelle s'est formée dans un contexte différent de celui des grands-parents et des parents. Le fait que la société d'accueil rejette les arrivants à certains moments de l'histoire en raison de leur origine ethnique ne les rapproche pas forcément du temps des ancêtres.

Dans *Obasan*, pour Stephen, né au Canada et socialisé dans un contexte anglo-saxon, le temps des ancêtres a peu de résonance. Il lui tourne d'ailleurs le dos afin de couper définitivement tout lien avec son ascendance japonaise, sur laquelle il fait peser la responsabilité de la discrimination dont il a été victime. D'autant plus qu'il se définit, lui de la troisième génération, comme canadien dont la trajectoire personnelle l'a éloigné de ses grands-parents immigrants. «Stephen [...] continue à se frotter la barbe nerveusement. Il est toujours mal à l'aise quand quelque chose lui semble trop "japonais"» (Kogawa, p. 324). Plus loin on apprendra que «Stephen s'est rendu aussi peu familier avec la conversation japonaise» (Kogawa, p. 343).

Dans les cas où il existe peu ou qu'il n'existe pas de liens avec le temps des ancêtres, on risque de se sentir de nulle part, tel Madjid dans *Le thé au harem d'Archi Ahmed*: «Madjid se rallonge sur son lit, convaincu qu'il n'est ni arabe ni français depuis bien longtemps. Il est fils d'immigrés, paumé entre deux cultures, deux histoires, deux langues, deux couleurs de peau, ni blanc, ni noir, à s'inventer ses propres racines, ses attaches, se les fabriquer» (Charef, p. 17).

Le temps premier

Le temps premier renvoie à un épisode historique durant lequel s'instaure, par une guerre, une invasion, la colonisation, un rapport particulier entre les groupes culturels[1]. C'est au cours du temps premier que se met en place un cadre sociopolitique qui détermine dans le présent et dans l'avenir le type de relation entre eux. Par exemple, le temps de l'esclavage aux États-Unis a marqué les rapports sociaux autant que les rapports affectifs et cognitifs entre la population blanche et la population noire. C'est de ces derniers que traite le roman *Black boy*. Dans *Là où dansent les morts*, l'auteur rappelle les contacts sanglants entre Américains et Amérindiens au temps de la conquête de l'Ouest : « Il [le grand-père de Leaphorn] avait grandi [...] parmi des familles elles-mêmes issues de familles qui avaient choisi de périr quand les cavaliers de Kit Carson étaient arrivés en 1864. [Les Navajos] avaient été conduits en captivité, la Longue Marche qui les avait emmenés loin des montagnes sacrées jusqu'au camp de concentration de Fort Stanton, la variole, l'insolence des Apaches, la misère, la honte, et finalement la Longue Marche pour revenir chez eux[2] » (Hillerman, p. 81-82).

La colonisation a eu des conséquences importantes tant sur le plan politique que social et national, notamment celle de cimenter les liens entre colonisateurs et colonisés[3]. C'est ce que rappelle ce fonctionnaire français dans *Les Boucs*, à propos d'événements historiques qui unissent les Français et les Algériens : « [...] ce n'est certes pas lui [le

---

1. Nous empruntons les expressions « temps premier » et « temps du souvenir » à Azouz Begag et Abdellatif Chaouite, *Écarts d'identité*, Paris, Seuil, « Point-Virgule », 1990, p. 29.
2. La lutte contre les Navajos, en 1863-1864, était menée par Kit Carson. Les Navajos étaient enfermés au fort Summer à Bosque Redondo (Nouveau-Mexique). Une réserve leur sera attribuée en 1868. Voir Nelcya Delanoë et J. Rostrowsky, *Histoire thématique des États-Unis*, Nancy, Presses universitaires de Nancy, 1991, p. 14.
3. On lira à ce propos les livres d'Albert Memmi, *Portrait du colonisé*, Paris, Gallimard, 1985, et *La dépendance*, Paris, Gallimard, « Idées », 1979.

fonctionnaire] qui a voté cette loi de 1946 sur le Statut de l'Algérie et dont une des dispositions accordait la citoyenneté française aux Algériens qui n'étaient auparavant que Sujets, ce qui leur a permis de se rendre en France sans passeport » (Chraïbi, p. 31).

Le temps premier reflète une idéologie — celle de l'époque — qui marque les premiers mouvements de communication et influe sur l'évolution des contacts pour des décennies. Ainsi certaines périodes dominées par une idéologie raciste donnent naissance à des interactions entre populations qui se croient supérieures et d'autres définies comme inférieures ou exclues de l'humanité.

Le temps premier est bien souvent évacué de la mémoire collective, en particulier de celle du groupe dominant. Pourtant il constitue un facteur contextuel important pour comprendre les relations interculturelles, que ce soit sous l'angle des préjugés, de la discrimination ou de la place des uns par rapport aux autres. D'une manière générale, tout discours de la société majoritaire sur un groupe minoritaire contient de nombreuses références au temps premier au cours duquel les groupes en contact se lient sur différents plans : politique, identitaire, économique, social, national. Les membres du groupe majoritaire ont tendance à oublier cette époque et ses répercussions, alors que ceux qui ont été ou sont devenus des victimes doivent apprendre à vivre avec leurs blessures et avec les conséquences sociopolitiques de cet épisode.

Dans les romans qui nous occupent, les modalités de la première rencontre sont peu explicitées, quoique le temps premier demeure toujours en arrière-plan des relations décrites et renferme une charge émotive qui affecte les protagonistes. Il constitue un point de référence explicatif de l'actuel jeu des relations interculturelles. Un personnage y fera allusion, ce qui éclairera le lecteur. Tous les romans évoquent l'instauration de rapports de domination lors de cette première rencontre, aucun ne traite, par exemple, d'échanges égalitaires entre les groupes culturels.

Le temps des souvenirs

Le temps des souvenirs fait écho au temps premier. C'est celui de la génération des grands-parents qui a vécu le temps premier. Chaque groupe culturel ou chaque individu compose, à sa façon, avec le souvenir qu'il lui reste ou qu'on lui raconte du temps premier. Dans *Là où dansent les morts*, la tradition orale se charge de transmettre aux Navajos le temps des souvenirs et de le garder bien vivant, comme le raconte Leaphorn : «[...] les histoires de Nashibitti [grand-père de Leaphorn] relataient le côté sanglant de la tragédie : elles parlaient de deux frères armés d'arcs contre une troupe de cavaliers armés de fusils ; de moutons passés au sabre, de hogans incendiés, du bruit de haches abattant les pêchers, des corps des enfants dans la neige, du rouge des flammes dévorant les champs de maïs et, finalement, de la litanie des familles mourant de faim, pourchassées dans les canyons par la cavalerie de Kit Carson» (Hillerman, p. 82).

Le choc provoqué par la première rencontre peut aussi s'estomper peu à peu. Et, pour les générations suivantes, le temps des souvenirs perd de son acuité et de sa signification. Ce qui crée un écart entre les acteurs du passé et ceux du présent. Les vieux meurent, les souvenirs se voilent sous les nouveaux événements et peuvent être déformés et oubliés. Une distance dans l'expérience de vie se crée, comme en témoigne Momo dans *La vie devant soi* : « Elle avait une peur bleue des Allemands. C'est une vieille histoire [...] mais Mme Rosa n'en est jamais revenue. [...] Elle me parlait souvent des nazis et des S.S. et je regrette un peu d'être trop tard pour connaître les nazis et les S.S. avec armes et bagages, parce qu'au moins on savait pourquoi. Maintenant on ne sait pas» (Gary, p. 59-60).

Les années passent, une nouvelle période naît, le temps des souvenirs relèvera bientôt de l'histoire. Mais pour certains, ce passé doit être sans cesse rappelé, comme le mentionne Emily à sa nièce, dans *Obasan*: «Tu dois t'en souvenir, a dit tante Emily. Tu es ton passé. Si tu en coupes un bout, tu seras une amputée. Ne nie pas le passé. Souviens-toi de tout. Si tu es amère, sois amère. Crie ton amertume! Hurle-la! Le refus, c'est la gangrène. Regarde-toi, Nomi, à faire la navette entre Granton et Cecil, tu ne peux ni partir ni rester dans le monde avec un semblant de grâce ou d'aisance» (Kogawa, p. 81). Le passé doit aussi être exorcisé car il fourmille de sentiments, de blessures et d'événements qui engendrent des tensions interculturelles et maintiennent une distance entre les groupes. À ce propos, Emily ajoutera : «Nous nous devons d'éclaircir tout ça pendant que nous en avons encore le souvenir. Sinon, on risque de passer notre colère dans nos gènes. Ce seront les enfants qui en souffriront» (Kogawa, p. 61).

Pour d'autres, au contraire, telle Nomi, la nièce d'Emily, le temps des souvenirs est un lourd fardeau : «La vie est si courte, ai-je [Nomi] soupiré, et le passé si long. Ne devrions-nous pas tourner la page et passer à autre chose ? [...] Certains souvenirs aussi devraient être oubliés de la sorte. N'est-ce pas Obasan qui a dit un jour : "Il vaut mieux oublier"? À quelle fin irions-nous chercher un de ces pots de restes immangeables ? Si on ne les voit pas, on ne sera pas horrifié. Ce qui est au-delà de la mémoire est au-delà de la douleur. Les questions que posent ces papiers, ces questions qui concernent une période turbulente, ces questions dérangent inutilement l'écologie fragile de cette journée déjà trop pleine d'émotions» (Kogawa, p. 69 et 74).

Mais au-delà des individus porteurs de souvenirs se perpétuent des représentations, des discours et des façons d'être qui jettent les bases des relations interculturelles du temps contemporain.

Le temps contemporain

Le temps contemporain est celui au cours duquel se vivent de différentes manières les relations interculturelles. C'est le temps où s'exprime un type particulier de relations sur les plans de la communication, des droits des uns et des autres, de leur place respective dans la société. C'est aussi le carrefour du temps mythologique, de celui des ancêtres, du temps premier et des souvenirs.

Cette rencontre des divers temps peut être chaotique. Pour les uns, telle Elsa dans *La rivière sans repos*, le temps contemporain est le théâtre d'un désarroi culturel et d'une profonde crise d'identité, le lieu de confrontation d'un mode de vie traditionnel — nomade — et de celui du monde moderne — sédentaire et de consommation — introduit par les gens du Sud, ceux qui croient au progrès. Pour la mère d'Elsa, c'est un temps décadent : « [...] on était en des temps mous [...] tout s'y défaisait » (Roy, p. 155).

Dans ce roman, le temps contemporain est constamment opposé au temps des ancêtres, l'un étant condamné l'autre idéalisé. On compare avec nostalgie, tant sur le plan des valeurs qu'en ce qui a trait à la culture matérielle, le mode de vie d'autrefois avec celui d'aujourd'hui : « Revenant de la "ville", elles étaient mises dans leur plus beau — hélas bien banal en comparaison du parka de jadis et des jolies bottes en peau de phoque ; à présent elles portaient des robes de cotonnade fleurie sur lesquelles flottaient des chandails informes comme des sacs. Aux pieds, en cette saison sèche à faire éclater les pierres, elles avaient des bottes de caoutchouc dont la vogue au pays esquimau était si grande que le magasin ne suffisait plus à la demande — d'autant plus que les bottes s'usaient en un rien de temps aux aspérités du sol pour lequel elles n'étaient pas faites » (Roy, p. 121).

Pour les gens démunis, ceux qui vivent hors du temps, dans les immeubles pigeonniers de la cité dans *Le thé au harem d'Archi Ahmed*, « il y a l'ennui, les habitudes, le désir d'autre chose pour sortir de la routine. Faut bien casser une certaine morosité. Cette grisaillerie qui s'installe et qui étouffe en serrant fort sur le corps petit à petit comme une pieuvre » (Charef, p. 61).

Pour les immigrés, si le temps contemporain est celui du déracinement et du deuil de son origine, il est aussi celui de l'enracinement, car il est la possibilité de leur intégration et d'une éventuelle reconnaissance dans la société d'accueil. Il se meuble de nostalgie et d'espoir d'une vie meilleure, tout en étant parcouru de déceptions et de désillusions, comme en témoigne la famille de Madjid dans *Le thé au harem d'Archi Ahmed* : « Tout jeunes mariés, les parents [de Madjid] ont émigré [d'Algérie]. Ils voulaient faire des gosses qui aillent à l'école pour devenir des médecins, ou des avocats, ou des maîtres d'école, comme on dit à la campagne. Et déjà le chômage pour Madjid et le père... » (Charef, p. 21).

Il arrive aussi que le temps contemporain ne permette aucune communication entre les nouveaux arrivants et la société d'accueil. Chacun son rythme, chacun son temps. On peut partager le temps au sein d'un même quartier sans jamais se rencontrer, à « l'heure du travailleur immigré, après le laitier, avant le boueux » (Charef, p. 48), tout comme on peut vivre dans une société sans jamais pouvoir y participer. C'est ce que dit Yalann dans *Les Boucs* : « Demain, lui avait dit le Chrétien [fonctionnaire français]. Très bien ! on était donc au lendemain — mais lequel ? et comment le déterminer ? Il n'y avait de repère ni dans le temps ni dans l'espace : ni ciel ni soleil. Le crépuscule de la veille ressemblait exactement à cette aube, grisâtres l'un et l'autre, froids, mornes. [...] Combien d'années de détresse devrais-je vivre pour être promu aux fonctions de "patron"?» (Chraïbi, p. 106 et 108).

Finalement, au fil des ans, le temps contemporain contribue à créer une rupture culturelle souvent violente avec le pays d'origine, celui des parents, et avec les temps précédents : «Le temps n'a plus d'importance, seul le moment même, le moment présent, compte. Hier, c'est pas de chance, demain, avec un peu de chance!» (Charef, p. 144).

Cette réflexion nous amène à nous demander si le temps contemporain existe réellement ou s'il n'est fait que de nostalgie et de rêve d'un monde meilleur. Il semble que, pour la plupart des personnages marginaux des romans étudiés, le temps contemporain corresponde à un important champ de bataille dont l'issue — s'il y en a une — est inconnue ou déjà déterminée. Dans *Les Boucs* Yalann décrit cette situation : «[...] sa future vie de chien. [...] une odeur de très vieille chair humaine [...]. Mon odeur future, se disait-il, mais dans combien d'années?» (Chraïbi, p. 106 et 108).

Seul le roman de Hillerman semble se dérouler exclusivement dans le temps contemporain, tout en se référant aux autres temps qui servent à profiler les personnages.

Le temps de l'avenir

Le temps de l'avenir est porteur d'espoir, nourri par l'imagination. Il ne se révélera véritablement que dans sa concrétisation. C'est pourquoi, dans les romans, l'avenir n'est envisagé que sous forme de rêve et d'échappatoire au temps contemporain.

Condamnée à ne vivre que dans le temps contemporain coupé du passé et bloqué dans l'avenir, la relation interculturelle est envisagée avec pessimisme, comme le dit Yalann, dans *Les Boucs*, à propos de son union avec Simone, son amie française : «[...] l'avenir devant nous [est] bloqué avec des rocs et le ciment des haines...» (Chraïbi, p. 21), mais aussi avec espoir : «[...] peut-être viendrait-il un temps de compréhension, sinon de miséricorde» (Chraïbi, p. 89).

Pour que le temps contemporain s'ouvre avec optimisme et que le temps de l'avenir puisse devenir réalité, pour que les temps premier et du souvenir puissent être exorcisés, certains personnages, essaieront d'oublier, comme Nomi dans *Obasan* : «[...] je veux m'échapper de tout ça. Du passé et de tous ces papiers, du présent, des souvenirs, des morts, de tante Emily et de son tas de mots» (Kogawa, p. 272). Alors que d'autres, au contraire, suivront la voie de la revendication qui confirmera leur présence et leurs souffrances. Il faut un examen et une acceptation de part et d'autre des événements marquants, comme le demande Emily : «La réconciliation ne peut être entamée sans une reconnaissance réciproque des faits, a-t-elle dit. Des faits? [répondit Nomi]. Oui, des faits. Ce qui est exact est exact. Ce qui est faux est faux. La santé commence quelque part» (Kogawa, p. 273).

C'est l'avenir qui garantira une redéfinition et un repositionnement des groupes et qui finalement permettra le développement de relations plus pacifiques et moins tendues.

Chapitre 3

Territoires

Le territoire et son occupation constituent la deuxième dimension importante et significative pour la compréhension des relations interculturelles. L'espace occupé par chaque groupe ainsi que la manière dont celui-ci se l'approprie expriment à la fois une vision culturelle particulière, la place que le groupe s'attribue dans la société et le rapport qu'il entretient avec les autres. Les règles de territorialité, la plupart du temps tacites mais connues de tous, attestent l'appropriation de cet espace par un groupe. De plus, l'occupation d'un lieu ou la référence à un espace révèle la marginalité ou la ségrégation d'un ou de plusieurs groupes, leur hiérarchisation ou leur égalité. Finalement, la disposition d'un territoire, son occupation et sa signification évoluent avec le temps, l'arrivée de nouveaux occupants et le départ des anciens résidents. C'est en suivant l'itinéraire des personnages qu'on peut cerner à la fois la démarche intérieure des protagonistes, la mouvance des relations interculturelles ainsi que le type de coexistence des groupes culturels.

On distinguera divers espaces : l'« espace national », c'est-à-dire le lieu occupé par une nation qu'elle considère comme sien; l'«espace infranational ou communautaire», territoire occupé par une agglomération qui constitue bien souvent une division administrative prenant la forme d'un quartier urbain, d'un village, d'une banlieue, d'une réserve, etc. ; l'«espace domestique», c'est-à-dire le territoire privé ou le domicile d'une ou de plusieurs personnes pouvant constituer une famille; enfin l'«espace étranger» ou l'«ailleurs», l'espace rêvé, l'endroit où certains espèrent s'établir ou retourner pour trouver la paix et la reconnaissance.

L'espace national

L'espace national, quels que soient ses frontières et son statut — libre, colonisé ou conquis —, est le territoire occupé par une population qui se définit comme nation. C'est le pays où s'édifie l'identité nationale des habitants. Que cet espace soit aride, tel le pays esquimau d'Elsa dans *La rivière sans repos*, ou riche, comme celui d'Emily dans *Obasan*, il suscite la plupart du temps chez ceux qui y résident des sentiments d'attachement et d'appartenance qui sont d'autant plus profonds qu'il correspond généralement à la terre des ancêtres. En tant que système sociopolitique, le pays confère à ses habitants des droits, des privilèges, une place dans la société ainsi qu'une reconnaissance sociale. C'est pourquoi il peut être très difficile, pour ceux qui s'en considèrent comme les habitants légitimes, de partager cet espace avec ceux qu'ils voient comme des étrangers, bien que ceux-ci puissent occuper ce même espace depuis des *générations*, tels les Canadiens d'origine japonaise dans *Obasan* qui s'établirent sur la côte ouest canadienne à la fin du dix-neuvième siècle, ou que le pays leur ait déjà reconnu des droits de citoyenneté, tels les juifs allemands, notamment la famille de Hans dans *L'ami retrouvé*.

Les relations interculturelles se jouent dans cet espace national. Dans les moments de crise ou de conflit ethnique, le groupe dominant, celui qui se reconnaît droits territoriaux et légitimité, a tendance à rejeter hors de cet espace les groupes minoritaires. Pour les exclus, ce geste est d'autant plus violent qu'ils ont des sentiments d'appartenance et une identité rattachés à cet espace. Les parents de Hans, dans *L'ami retrouvé*, se sont toujours dits Allemands, comme en fait foi la déclaration du père : « Nos compatriotes reviendront à la raison d'ici quelques années. Quant à nous, nous resterons ici. C'est notre patrie et notre foyer. Ce pays est le nôtre et nous ne laisserons pas un "sale Autrichien" nous le voler » (Uhlman, p. 109-110). Et Hans de raconter : « [...] si mon père ne doutait pas d'être allemand, ma mère, si possible, en doutait moins encore. Il ne lui venait simplement pas à l'esprit qu'un être humain ayant toute sa raison pût lui contester son droit de vivre et de mourir dans ce pays » (Uhlman, p. 70).

Malgré la discrimination dont la famille sera l'objet, les parents de Hans demeureront fidèles à leur terre natale. Ils refuseront de quitter « leur pays », mais ne pouvant plus y vivre en tant qu'Allemands, ils se suicideront.

Dans *Obasan*, Emily rappelle constamment l'attachement des Canadiens d'origine japonaise à leur pays d'adoption : « La première fois que j'ai pris conscience de ce sentiment d'appartenance à ce pays, j'avais douze ans et je mémorisais le chant du "Lai du dernier troubadour"... Ceci est mon pays, ma patrie. Plus tard, je me suis engagée activement dans la lutte pour la liberté et j'ai adopté ces mots comme devise. [...] D'où venons-nous, qui que nous soyons dans ce pays de glace ? Ô Canada, qu'on l'admette ou non, nous venons de toi, nous venons de toi. De la même terre, des mêmes vers, de la même boue, des mêmes marais, des mêmes brindilles et des mêmes racines » (Kogawa, p. 66 et 336).

Pas plus que l'enracinement d'un groupe ethnique dans une société d'accueil, la naissance d'un individu au sein d'une communauté nationale ne lui garantit pas des droits de citoyenneté. Emily souligne que longtemps, au Canada, les descendants japonais de deuxième et troisième génération n'ont pu bénéficier, entre autres, de leur droit de vote, ni au provincial ni au fédéral. Il en est de même dans *Black boy* où la population noire installée en Amérique depuis plus de deux siècles n'a ni droits ni libertés.

Dans *Obasan*, on raconte comment, à la suite du bombardement de Pearl Harbour, le peu de légitimité qu'avaient obtenue les Canadiens d'ascendance japonaise sera remise en question. On les associe à l'ennemi, bien que les plus jeunes n'aient plus aucun contact avec le pays de leurs ancêtres. Certains ne parlent même plus la langue. Sont-ils japonais ? Le père de Nomi répondra qu'ils sont canadiens. Et le frère de Nomi de commenter : « C'est une énigme, me dit Stephen. Nous sommes et ne sommes pas l'ennemi » (Kogawa, p. 109).

L'évocation du lieu d'origine — ou ce qu'on croit être tel — de celui qu'on considère comme différent sert souvent de prétexte pour s'en distancier ou pour le rejeter carrément. Il est ainsi plus facile de se convaincre qu'il ne devrait pas partager les mêmes droits sociaux, politiques ou territoriaux que soi. Dans *L'ami retrouvé*, les collègues de Hans lui conseillent de quitter l'Allemagne : « Pourquoi ne retournes-tu pas en Palestine, d'où tu es venu ? hurla-t-il [un compagnon de classe] » (Uhlman, p. 105). Alors que sa famille habite le pays depuis des siècles et que ses parents semblent n'avoir aucun lien avec l'espace national imaginé : « Mon père détestait le sionisme. L'idée même lui paraissait insensée. Réclamer la Palestine après deux mille ans n'avait pas pour lui plus de sens que si les Italiens revendiquaient l'Allemagne parce qu'elle avait été jadis occupée par les

Romains. [...] Et, de toute façon, qu'avait-il, lui, citoyen de Stuttgart, à voir avec Jérusalem ?» (Uhlman, p. 65).

Alors que le groupe majoritaire ou dominant renvoie l'étranger dans un espace national autre, les citoyens mis à l'écart clament au contraire qu'ils appartiennent à cette nation. Tel est le paradoxe de l'identité nationale et de son expression géographique, le pays.

Pour des immigrés, il est particulièrement difficile de s'approprier l'espace national. La difficulté de se faire reconnaître comme citoyens et donc comme participants à la dynamique nationale ainsi que le peu d'années passées au pays jouent contre eux. Et pourtant, sans identification à l'espace national et sans création d'un lien, on n'est rien, pas même un homme, comme l'observe la mère de Madjid dans *Le thé au harem d'Archi Ahmed*: «Je vais aller au consulat d'Algérie [...] qu'ils viennent te chercher pour t'emmener au service militaire là-bas ! Tu apprendras ton pays, la langue de tes parents et tu deviendras un homme. Tu veux pas aller au service militaire comme tes copains, ils [les autorités françaises] te feront jamais tes papiers. Tu seras perdu, et moi aussi. Tu n'auras plus le droit d'aller en Algérie, sinon ils te foutront en prison. C'est ce qui va t'arriver ! T'auras plus de pays, t'auras plus de racines. Perdu, tu seras perdu» (Charef, p. 17).

L'espace infranational ou communautaire

L'espace infranational ou communautaire — une province, un canton, un district, etc. — peut être défini par l'administration d'un pays, comme c'est le cas des réserves amérindiennes de *Là où dansent les morts* ou des villages inuits de *La rivière sans repos* ; par le groupe qui l'occupe et qui décide lui-même des limites, qu'il soit majoritaire ou minoritaire ; ou encore par le groupe dominant qui en fixe les frontières.

Dans ce dernier cas, il s'agit, en milieu urbain par exemple, des quartiers où habitent diverses communautés ethniques, soit qu'on enferme un groupe à l'intérieur de limites territoriales afin de ne pas le voir ou le fréquenter, soit qu'un groupe se replie sur lui-même afin de se protéger et de se sentir en sécurité.

Cet espace correspond à un territoire dont les résidents peuvent faire le tour et dont ils connaissent, sans qu'ils soient nécessairement visibles, les limites, les recoins, les rues, les cafés, les maisons, les arbres, etc. ; surtout, ils comprennent les gens qui les entourent et avec qui ils partagent un mode de vie ou une caractéristique sociale ou ethnique. Dans *La vie devant soi*, le petit Momo décrit ainsi les quartiers français : « Il y a trois foyers noirs rue Bisson et deux autres où ils vivent par tribus, comme ils font ça en Afrique. [...] Le reste de la rue et du boulevard de Belleville est surtout juif et arabe. [...] et après c'est les quartiers français qui commencent » (Gary, p. 12).

Pour ces résidents, l'espace infranational, familier et personnalisé constitue bien souvent l'univers premier et a plus de signification que l'espace national. On s'y sent chez soi, en sécurité ; l'extérieur, c'est l'aventure, le contact avec autrui, un territoire qui n'appartient pas à son groupe, comme le raconte le jeune Richard dans *Black boy* : « J'avais peur en me faufilant à travers la foule des Blancs, mais ma peur me quitta quand je revins dans mon quartier et que je vis des visages noirs souriants » (Wright, p. 132).

Tout comme pour Pat dans *Le thé au harem d'Archi Ahmed*, à qui il « tardait de repartir vers la cité » (Charef, p. 81) après avoir été « ailleurs » pour amasser du fric, cet espace est bien souvent celui des racines. D'ailleurs on n'hésite pas à y retourner même après plusieurs années quand l'occasion se présente. Ainsi dans *Là où dansent les morts* : « Les Zuñis qui s'étaient dispersés ici et là (sur les campus universitaires, sur leur lieu de travail en Californie ou à Washington) étaient revenus chez eux. Ceux qui se surnommaient eux-mêmes la Chair de la Chair étaient à nouveau attirés vers le lieu de leur naissance pour le grand Retour des esprits ancestraux» (Hillerman, p. 212).

Pour ceux qui vivent en marge de la société nationale, avec peu ou sans reconnaissance politique ou sociale, il semble plus facile d'établir une relation d'identité avec l'espace infranational qu'avec l'espace national. Cela s'explique à la fois par le fait qu'ils ont peu l'occasion de visiter ou de parcourir le pays, et donc de le connaître et de s'y sentir à l'aise, et par le manque de moyens psychologiques et économiques pour pénétrer l'espace national où l'on est plus ou moins bienvenu : on préfère rester entre soi plutôt que de vivre le rejet et l'anonymat.

Les milieux urbains se divisent en quartiers selon la classe sociale de la population, de son origine ethnique, des droits et des privilèges que la société lui consent. Dans *La vie devant soi*, la remarque de Momo fait ressortir le lien entre identité nationale, ségrégation et espace occupé : «Tu habites par ici ? [demande Nadine]. Non, je ne suis pas français. Je suis probablement algérien, on est à Belleville» (Gary, p. 97).

Il existe en outre une hiérarchie entre ces quartiers selon l'intégration plus ou moins forte des résidents. C'est ainsi qu'on retrouve dans le Paris et ses alentours du *Thé au harem d'Archi Ahmed* des espaces communautaires distribués selon l'ancienneté des occupants, tels les foyers des travailleurs immigrés — généralement des hommes — où l'on contrôle l'autre et où on s'assure de sa non-intégration : «C'est [le foyer des travailleurs immigrés] des baraquements en préfabriqué, plantés sur un terrain vague, rocailleux et poussiéreux. L'hiver, c'est la boue qui prend place. Des travailleurs latins, nord-africains, y logent, dans cette cité gérée par l'employeur. Ils vivent là comme des bêtes, à l'écart de la ville, entre les travaux de l'autoroute, la voie du chemin de fer et le port de Gennevilliers, dans ce camp de travail entouré d'un haut grillage» (Charef, p. 77). Suivent les bidonvilles, de nature plus familiale mais composés de nouveaux arrivants, comme cela avait été le cas de la famille de Madjid, lors de leur arrivée en France : « À l'époque, Madjid et ses parents habitaient le bidonville de Nanterre, rue de la Folie, le plus grand, le plus cruel des bidonvilles de toute la banlieue parisienne. [...] un vrai labyrinthe mais organisé, avec un boucher, un épicier, un café-bar, un restaurant, même un coiffeur» (Charef, p. 115-117). Enfin les HLM qui abritent Français et immigrés de longue date et qui se distinguent des bidonvilles notamment par leurs conditions de salubrité. «Pour les H.L.M. avoisinantes, ça fait un beau spectacle, l'eau chaude coule à flot chez eux. On en voit derrière les fenêtres. Madjid a peut-être un camarade de classe qui l'observe de là-haut, dans des chaussons propres et chauds, en pyjama, repu, lavé, avec *Bibi Fricotin* à la main» (Charef, p. 119).

Il y a enfin les quartiers «champignons» ou périphériques, des banlieues nées de l'expansion démographique et du débordement des villes. Certains constituent un milieu défavorisé, sans avenir pour ses habitants, un genre de ghetto semblable à celui du *Thé au harem d'Archi Ahmed*: «La Cité des Fleurs, que ça s'appelle!!! Du béton, des bagnoles en long, en large, en travers, de l'urine et des crottes de chiens. Des bâtiments hauts, longs, sans cœur ni âme. Sans joie ni rires, que des plaintes, que du malheur. Une cité immense entre Colombes, Asnières, Gennevilliers et l'autoroute de Pontoise et les usines et les flics. Le terrain de jeux, minuscule, ils l'ont grillagé! Les fleurs! Les fleurs!... Et sur les murs de béton, des graffitis, des slogans, des appels de détresse, des S.O.S. en forme de poing levé» (Charef, p. 25).

Dans les espaces communautaires abritant «les étrangers» se retrouvent, quoiqu'en minorité, des membres de la société d'accueil. Ils y sont soit parce qu'ils partagent avec les immigrants et leurs descendants des conditions sociales difficiles, soit parce que leur itinéraire personnel les a conduits à s'écarter de la norme, par exemple une fille-mère, une prostituée, une femme monoparentale, des sans-abri, des jeunes abandonnés, etc.

Tout en appartenant à la catégorie des indésirables, les marginaux issus de l'ethnie majoritaire demeurent toutefois des citoyens à part entière, en comparaison des immigrants. Dans *Le thé au harem d'Archi Ahmed*, Pat le fait remarquer à un policier qui lui demande ses papiers dans un bistro : «Je suis français, moi. Je suis dans mon pays. Tu me prends pour un Arabe, ou quoi?» (Charef, p. 140).

Il en est de même, dans *La vie devant soi*, pour M. Charmette, qui, mis à l'écart de la norme par son âge et son statut social, n'en demeure pas moins un Français, à l'inverse de Mme Rosa qui n'a ni identité nationale ni sécurité sociale. Et dans la hiérarchie sociale, ces marginaux sont classés plus près du nous que ne le sont ceux que l'on considère comme étrangers. C'est pourquoi lorsque le père de Momo mourra d'une crise cardiaque chez Mme Rosa, on s'empressera de supprimer le corps : «[Les frères Zaoum] l'ont mis sur le palier du quatrième devant la porte de Monsieur Charmette qui était français garanti d'origine et qui pouvait se le permettre» (Gary, p. 201).

Au quartier correspond généralement à la fois la classe socioéconomique de ses habitants et leur origine ethnique. Momo décrit les quartiers ethniques des immigrants africains : «Ils ont plusieurs foyers qu'on appelle taudis où ils n'ont pas les produits de première nécessité, comme l'hygiène et le chauffage par la Ville de Paris, qui ne va pas jusque-là. Il y a des foyers noirs où ils sont cent vingt avec huit par chambre et un seul W.C. en bas, alors ils se répandent partout car ce sont des choses qu'on ne peut pas faire attendre. Avant moi, il y avait des bidonvilles mais la France les a fait démolir pour que ça ne se voie pas» (Gary, p. 33).

Du point de vue ethnique, les quartiers plus cossus semblent plus homogènes, tant socialement que culturellement, que les quartiers défavorisés. Par exemple, dans *Le thé au harem d'Archi Ahmed*, plusieurs familles françaises et immigrées dont les enfants appartiennent à la bande multiethnique de Madjid habitent la cité : «Il y a : Bengston, l'Antillais ; Thierry, surnommé "Pichenette"; James, Algérien né en France ; Jean-Marc, viré de chez lui par son père et qui loge dans une cave; Bibiche, Algérien né en France, surnommé "Chopin" [...] Et encore Anita [...]. Née de père algérien et de mère française. [...] Et enfin Pat, le pote Pat...» (Charef, p. 26-27).

La ségrégation résidentielle déterminée juridiquement ou socialement est un élément important des romans et une composante essentielle des relations interculturelles. La proximité territoriale s'accompagne de l'édification d'une barrière, quelle qu'elle soit, face à autrui. Les habitants d'un quartier s'approprient de différentes façons cet espace auquel ils s'identifient. C'est pourquoi ils redoutent constamment que l'autre vienne s'y installer. Les espaces infranationaux sont jalousement gardés par les groupes qui les occupent et qui s'y sentent à l'aise, tel que le fait remarquer Madjid en traversant le territoire gitan : «Mains sur les hanches, il [Manitas, le Gitan] les stoppe comme un douanier, il a l'air furieux. Quand il traverse la cité, il se fait tout petit, discret, mais là, dans son campement, il est le maître, il joue au dur» (Charef, p. 75). Et ce qui se déroule sur ce territoire les regarde. Dans *Là où dansent les morts*, «Pasquaanti [policier zuñi] voulait s'assurer que Leaphorn [policier navajo] [...] et J. D. Highsmith, membre de la

Police de l'État, comprenaient bien que, sur le territoire de la Réserve Zuñi, la police de Zuñi dirigeait l'enquête. Et cela convenait tout à fait à Leaphorn. Plus vite il sortirait d'ici et plus il serait content» (Hillerman, p. 16).

Les rencontres interculturelles sont confinées dans des espaces géographiques particuliers, selon des règles généralement tacites. Une société peut gérer, favoriser ou empêcher ces relations en fonction des divisions administratives créées. On remarque que généralement l'étranger fascine lorsqu'il est loin, lorsqu'il est hors de chez nous, de notre territoire, lorsqu'on n'a pas à partager des privilèges. On apprécie son art, ses objets, sa technologie, sa cuisine, son folklore, voire certaines mœurs, mais c'est la plupart du temps lorsqu'il est à distance; quand ce même étranger devient un concitoyen, un voisin, un ami de notre fils, il sera considéré comme indésirable.

En milieu urbain, les métros, les ruelles, les rues et les trottoirs sont les lieux de rencontre avec l'autre, mais il n'y a généralement pas de partage. Dans *Les Boucs*, «ceux [les Français] qui s'arrêtaient pour les [immigrés algériens] voir passer fermaient brusquement les yeux...» (Chraïbi, p. 24). Dans nos romans, on retrouve différentes stratégies pour éviter de côtoyer l'autre, par exemple en empruntant les trottoirs et les autobus à des moments où on ne le croisera pas.

Il arrive aussi qu'on rende l'espace public peu accueillant pour l'autre, comme on peut le voir dans *L'ami retrouvé*: «Il y avait dans toute la ville d'énormes affiches rouge sang dénonçant Versailles et s'élevant contre les Juifs; partout des croix gammées, la faucille et le marteau défiguraient les murs et de longues processions de chômeurs dans les rues...» (Uhlman, p. 101).

Et on peut faire en sorte que cet autre devienne tellement aliéné qu'il ne puisse plus envisager d'emprunter l'espace public : «[...] les Bicots [immigrés arabes] ont une prédilection pour ces impasses-là, désaffectées comme eux, terriers, ternes de jour et de nuit, ils n'en sortent que la nuit mais ne s'en éloignent guère, le jour les blesse, la dignité les guette, ils rasent les murs vêtus de manteaux ternes comme eux et comme leurs terriers et s'en retournent bien vite à leurs terriers, exactement ce qui leur faut, ces animaux blessés qui ont honte de mourir au grand jour» (Chraïbi, p. 60).

On peut toujours obliger l'autre à quitter les lieux, par exemple en l'accusant de méfaits. Les lieux publics sont anonymes et, en principe, accessibles à tous. Bien que contrôlés par le groupe majoritaire, ils sont considérés comme un territoire neutre, peu compromettant dans l'éventualité de rencontres interculturelles, comme le mentionne Hans : «Nombre de nos discussions avaient lieu en arpentant les rues, ou assis sur un banc, ou debout sous une porte cochère pour nous abriter de la pluie» (Uhlman, p. 56).

Dans un contexte de crise sociale ou politique, les règles tacites deviennent très explicites, voire formelles. Lors de la seconde guerre mondiale, le gouvernement de la Colombie-Britannique n'a pas hésité à créer des programmes de ségrégation résidentielle pour les Canadiens d'origine japonaise, comme on le raconte dans *Obasan*. Il en a été de même envers les juifs dans l'Allemagne nazie. Dans les États racistes, on pratique d'ailleurs une ségrégation systématique dans les lieux publics, excluant d'avance toute rencontre fortuite avec l'autre. C'est ainsi que chaque groupe occupe et s'approprie l'espace public selon les règlements établis, comme nous le verrons à propos de la ségrégation. Il y a dans *Black boy* plusieurs exemples où non seulement le narrateur décrit les expressions de la ségrégation, mais explique comment un Noir doit agir lorsqu'il rencontre un Blanc dans les endroits publics : « À ce moment, une femme et deux hommes sortirent du magasin ; je m'effaçai pour les laisser passer, l'esprit préoccupé par les paroles de Griggs. Soudain Griggs m'empoigna le bras, me donna une violente secousse et m'envoya trébucher sur la chaussée, à trois pas de là. Je fis volte-face. – Qu'est-ce qui te prend ?, lui dis-je. Griggs me regardait avec des yeux féroces, puis il se mit à rire. – Je t'apprends simplement à t'écarter du chemin des Blancs, dit-il. [...] Tu comprends ce que je veux dire ? fit-il. Les Blancs ne veulent pas te voir sur leur chemin» (Wright, p. 315).

L'espace domestique

Le territoire domestique que constitue une maison, une tente, un appartement ou un château, est l'espace privé des individus. C'est à l'intérieur de ce lieu intime qu'on se permet des comportements culturels différents de ceux de la majorité, par exemple certaines pratiques religieuses, que l'on ne pourrait, pour différentes raisons, exprimer en public. Dans *Le thé au harem d'Archi Ahmed*, Malika, immigrée algérienne, profitait de cet espace pour effectuer son rituel religieux : « À peine les provisions rangées, la mère fait sa toilette spirituelle d'avant-prière. Elle s'enferme dans la salle d'eau et se lave les bras jusqu'aux épaules, l'entrecuisse, le visage une fois, se rince les dents, repasse ses mains sur son visage et murmure "Allah akbar"[1]» (Charef, p. 134-135). Ce lieu privé assure à ses occupants une sécurité émotive de nature plus personnelle que celle, plus collective, que fournit l'espace infranational. Lorsque les tensions extérieures, par exemple avec la société d'accueil, sont trop fortes, le lieu domestique devient un refuge.

---

1. Allah Akbar signifie Dieu est grand.

Toutefois, pour les membres du groupe minoritaire ou pour des personnes marginalisées, l'espace domestique n'est privé qu'en apparence. En effet, il peut être franchi à tout moment, et même violé lorsque les membres du groupe majoritaire se sentent menacés, comme le raconte Nomi dans *Obasan*: «Ils [les Canadiens] peuvent fouiller les maisons sans mandat» (Kogawa, p. 130).

Les membres du groupe majoritaire ne fréquentent pas l'espace habité par l'autre ou le fréquentent peu. On y voit peu d'intérêt. Mais lorsque c'est le cas, on s'y sent comme chez soi, tel le voisin de Nomi, M. Gower : «Le vieux Gower est au salon. Il n'est jamais venu chez nous avant [...] . Il semble plus puissant que mon père, plus grand et plus à l'aise que lui, même si cette maison est à nous» (Kogawa, p. 107).

L'espace étranger ou l'ailleurs

L'espace étranger ou l'ailleurs est paradoxal et relève bien souvent de l'imaginaire. Il est étroitement lié à la quête d'identité, comme le révèle le roman de Trudel, *Le souffle de l'harmattan*. Dans les romans que nous avons retenus, on s'y réfère à deux occasions.

La première consiste pour les personnages qui appartiennent à la majorité, à rejeter hors de l'espace national ou infranational tous ceux qui sont considérés comme différents ou comme étrangers. Ainsi, au moindre signe, par exemple l'apparence phénotypique, l'accent, ou encore la manière d'être d'un individu, on le renvoie hors du nous dans un espace autre, étranger, qui peut l'être aussi pour lui. Tel ce Canadien qui semble faire passer un interrogatoire à Nomi, dans *Obasan*: «D'où venez-vous ? m'a-t-il demandé comme nous nous asseyions à une petite table dans un coin. C'est toujours la première question qu'on me pose. Les gens croient toujours que je viens d'ailleurs. – Qu'est-ce que vous voulez dire? – Depuis quand êtes-vous arrivée? – Je suis née ici. – Ah, a-t-il dit en souriant. Et vos parents? – Ma mère est Nisei[2]» (Kogawa, p. 21).

Un renvoi constant de l'autre dans un espace étranger contribue à créer ou à maintenir une distance, bien souvent imaginaire, entre eux et nous. Toutefois, dans des moments d'extrême tension, certains peuvent vouloir accentuer cette distance en adoptant des stratégies d'éloignement, comme de chasser les juifs hors du pays tel que cela s'est fait sous le régime nazi, ou d'émettre des avis de déportation. Dans *Obasan*, on raconte qu'à la fin de la seconde guerre mondiale le gouvernement canadien suggéra aux Canadiens d'origine japonaise d'accepter la déportation vers le Japon.

La deuxième situation consiste, pour ceux qui appartiennent à un groupe minoritaire, à imaginer un espace étranger ou à rêver de partir ailleurs. Pour la plupart des personnages aux prises avec des problèmes de rejet social et de non-reconnaissance, l'espace étranger ou l'ailleurs devient une voie de secours au désarroi culturel, à l'inconfort social, ou à une marginalité refusée. Cet ailleurs finit par symboliser la terre promise où l'on trouvera une place et où l'on sera délivré du poids de la différence. Tout au long des récits, l'imaginaire des personnages vogue vers cet ailleurs onirique. Pour Hugues, dans *Le souffle de l'harmattan*, le paradis terrestre où l'identité serait confirmée se situe sur une île où il planterait des peupliers. Pour Jimmy, le Métis, dans *La rivière sans repos*, l'ailleurs, c'est-à-dire les États-Unis, permettra de s'épanouir et de devenir «quelqu'un». Pour

---

2. On appelle Issei les Japonais immigrés au Canada. Ils constituent la première génération. Une Nisei est une personne de deuxième génération née au Canada, une Canadienne d'origine japonaise comme la mère de Nomi. Quant aux Sansei, tels Nomi et Stephen, bien sûr nés au Canada, ils sont de troisième génération.

Hans, dans *L'ami retrouvé*, l'Amérique devient une terre de refuge «jusqu'à ce que la tempête [le nazisme] se soit calmée» (Uhlman, p. 109). Une terre de refuge permanente, car il poursuivra sa vie aux États-Unis sans jamais retourner en Allemagne.

Pour pallier la non-reconnaissance de la société majoritaire ou sa non-intégration, plusieurs personnages réagissent en se créant, dans l'imaginaire ou dans la réalité romanesque, un lien avec le pays d'origine, celui des ancêtres. Ce qui leur permettra d'enraciner leur identité, comme l'exprime Momo dans *La vie devant soi* : «[...] même si je restais en France, [...] il fallait me rappeler que j'avais un pays à moi et ça vaut mieux que rien» (Gary, p. 52). Le même Momo conseillera à Mme Rosa, même si elle n'y a jamais mis les pieds, d'aller dans sa famille en Israël. «Vous allez mourir tranquillement, ils vont s'occuper de vous, là-bas. Ici [en France], vous êtes rien. Là-bas, vous êtes beaucoup plus» (Gary, p. 252).

Chapitre 4

Identité et différence

Culture et identité sont les deux facettes d'une même réalité. C'est par les individus qui sont en contact direct ou indirect au sein d'un même espace social que va se produire la rencontre interculturelle. Il ne s'agit pas ici d'approcher les protagonistes sous l'angle uniquement psychologique, mais plutôt de constater que leur personnalité est à la fois influencée par le contexte sociohistorique et par des contraintes socioculturelles. Ce qui en fait des personnages romanesques nuancés à plusieurs égards ; on perçoit en eux le jeu des identités. Ils ne sont jamais présentés exclusivement sous l'angle de l'identité culturelle ou de l'appartenance à un groupe culturel.

L'âge, le statut social, le sexe, etc., sont des éléments importants de l'identité qui complexifient les personnages. Parallèlement au déroulement des relations interculturelles, les romans mettent en évidence des rapports de pouvoir basés sur ces aspects : les personnages se situent, agissent, se solidarisent ou s'opposent tantôt selon leur âge, tantôt selon leur ethnicité, tantôt selon leur situation sociale. Par exemple, dans *Le souffle de l'harmattan*, Hugues et Habéké se rejoignent par leur âge et par leur statut d'adoptés, mais se distinguent par plusieurs éléments culturels, notamment la religion. Il en est de même pour Pat et Madjid dans *Le thé au harem d'Archi Ahmed*, et pour Hans et Conrad dans *L'ami retrouvé*. L'identité est à la fois affaire d'inclusion, qui permet à certains de se rassembler autour d'un ou plusieurs éléments, et d'exclusion qui, par ces mêmes éléments, permet de se distinguer d'autrui.

L'identité comporte deux dimensions, sociale et personnelle. L'identité sociale est marquée par les catégories biosociales d'appartenance tels l'âge, la classe sociale, le groupe ethnique ou culturel, la profession, etc., et constitue une définition objective de l'individu. Elle correspond à sa position dans la culture et dans la société. L'identité personnelle, plus subjective, est marquée par la personnalité, par la conscience et par la définition qu'on a de soi-même[1].

L'appartenance à un groupe d'âge est généralement moins problématique que celle au groupe ethnique. Madjid, dans *Le thé au harem d'Archi Ahmed*, peut facilement se définir à partir de son groupe d'âge, celui des adolescents, mais a beaucoup plus de difficulté à cerner son identité ethnique : «[...] Madjid se rallonge sur son lit, convaincu qu'il n'est ni arabe ni français depuis bien longtemps. Il est fils d'immigrés, paumé entre deux cultures, deux histoires, deux langues, deux couleurs de peau, ni blanc, ni noir, à s'inventer ses propres racines, ses attaches, se les fabriquer. Pour l'instant il attend [...] il attend. Il ne veut pas y penser, il ne supporte pas l'angoisse» (Charef, p. 17). Quand on se sent dépourvu d'identité ethnique, un certain désarroi peut s'emparer de soi, comme le souligne le narrateur. Il en est de même pour le personnage d'Elsa dans *La rivière sans repos*.

---

1. Edmond Marc Lipiansky, «Identité subjective et interaction», dans *Stratégies identitaires*, Paris, PUF, 1990, p. 173.

L'identité se construit non seulement à partir des groupes d'appartenance, mais aussi selon des modèles ou des groupes de référence même s'ils ne correspondent pas tout à fait à la réalité. Dans sa quête d'identité, Elsa fera un retour aux sources en tentant de vivre selon le mode de vie traditionnel des Inuits. Et George dans *Là où dansent les morts* désire s'identifier aux Zuñis bien qu'il soit Navajo.

L'identité ne peut se consolider, s'alimenter ou s'affirmer sans la participation de l'autre. Or le paradoxe est que, d'une part, on tente de se définir en excluant l'autre, mais que, d'autre part, on ne peut se définir qu'en s'opposant à un autre avec qui on entretient des rapports. C'est dans l'interaction et la communication sociales que s'actualise l'identité de chaque groupe. Cette dernière est façonnée par la reconnaissance d'autrui et par la communication, qui permet de savoir ce que l'autre pense de soi. La perception que l'on a des autres permet au nous de se définir et de justifier comportements et attitudes, ainsi que d'instaurer différents types de rapports sociaux.

La visibilité de l'autre révèle notre propre particularité et nous met face à face avec nous-même. Si l'autre est à proximité, par exemple s'il partage le même territoire, comme c'est le cas avec les nouveaux arrivants, par ses différences, il nous remet en question tant dans la définition que nous donnons de nous-même que dans nos comportements. C'est pourquoi la rencontre avec l'autre suscite toute une série d'actions et de réactions émotives.

Notons que l'itinéraire aussi bien personnel que social des personnages traduit une quête d'identité qui ne se manifeste pas seulement dans leur démarche intime mais aussi dans la recherche d'une reconnaissance collective. Par ailleurs, on constate que l'identité est une réalité mouvante et dynamique, et qu'on ne peut jamais y enfermer les individus.

Conjuguée avec l'identité de classe, d'âge, de statut économique, social, etc., l'identité ethnique est d'autant plus complexe que ses caractéristiques sont difficiles à isoler. Chez tout le monde, il y a une articulation constante entre ses groupes d'appartenance et la conscience de soi. C'est pourquoi il n'est pas toujours aisé de distinguer les comportements propres à un personnage, en tant qu'individu unique, et ceux qui sont communs à tous les membres de son groupe culturel. Toutefois, certains font eux-mêmes la distinction entre personnalité et culture. D'autres fois, les personnages principaux, ainsi que ceux qui gravitent autour d'eux, les membres de leur famille par exemple, partagent un certain nombre de comportements et d'idées qui les distinguent des autres protagonistes du roman. On peut supposer alors qu'ils représentent des formes culturelles. C'est ce qui ressort de *Là où dansent les morts* où la description de chacun des policiers impliqués dans l'enquête rejoint la description culturelle de son groupe. Les Navajos sont vus comme des gens calmes, polis, qui ne craignent ni l'attente ni la solitude, et la philosophie navajo est présentée comme très cartésienne et très épurée. Les mêmes caractéristiques sont attribuées au policier navajo Joe Leaphorn, qui est lui aussi présenté comme très solitaire et cartésien — c'est d'ailleurs ce rationalisme qui le rend si efficace dans son métier. Le même parallèle est créé entre le groupe amérindien zuñi et le policier Pasquaanti, également secrets et respectueux des autres.

On peut arriver à cerner l'aspect culturel d'un personnage par diverses caractéristiques que le narrateur ou le personnage lui-même utilise. Le lecteur peut aussi se poser un certain nombre de questions qui l'orienteront sur le caractère culturel d'un personnage. Par exemple, partage-t-il avec d'autres certains comportements ou certaines façons d'interpréter la réalité ? Se distingue-t-il d'un groupe particulier ?

Dans tous les romans retenus, il y a entrecroisement continuel de la relation interculturelle et des autres réseaux de relation, de telle sorte que celle-là s'inscrit dans un système de hiérarchie sociale. Dans *Là où dansent les morts*, les policiers fédéraux méprisent les policiers régionaux, l'archéologue Reynolds traite son étudiant comme un esclave, Hasley maltraite Suzanne, qui en a peur. Les personnes qui, dans la société blanche, sont en position de pouvoir, considèrent les Amérindiens navajos ou zuñis comme leurs inférieurs. Ils reproduisent ainsi la domination de leur propre société, tel Hasley qui traite Leaphorn de « poulet navajo ».

Finalement, les personnages méprisés, dominés ou marginalisés à l'intérieur de leur société — ou par l'extérieur — ont tendance à établir des liens avec des membres de groupes culturels différents. On peut supposer qu'au sein du grand nous le fait d'avoir peu de pouvoir ou de privilèges à défendre supprime les barrières et favorise l'échange culturel.

Cela dit, on peut dégager dans les romans trois types de personnages. Le premier regroupe des personnages principaux que nous appellerons « charnières[2] », car ils aspirent à participer — ou participent déjà — à une dynamique avec l'autre, en créant un pont entre leurs groupes ethniques respectifs. Ainsi, dans *Black boy*, *Les Boucs*, *Obasan*, *À la poursuite des Slans*, *La rivière sans repos* et *Là où dansent les morts*, on retrouve au premier plan un individu qui, à partir d'anecdotes vécues, observées ou imaginées, témoigne d'une ou de plusieurs dimensions interculturelles. Dans *L'ami retrouvé*, *Le souffle de l'harmattan*, *Le thé au harem d'Archi Ahmed* et *La vie devant soi*, on a plutôt, au premier plan, deux personnages appartenant à des groupes ethniques différents entre lesquels se crée une relation d'amitié.

---

2. Les expressions de « personnage charnière » et, plus loin, de « personnage verrou » sont de Sylvie Vincent.

On dira que ce sont des personnages charnières « tandem », car ils se définissent l'un par rapport à l'autre. C'est la dynamique de leur relation qui fait progresser le récit.

Le deuxième groupe de personnages comprend plusieurs figures secondaires qui gravitent autour de la relation interculturelle. Bien souvent, ils constituent le groupe d'appartenance, bande ou famille, des personnages principaux. Leur importance respective dépend de leur participation plus ou moins forte au rapport d'altérité. Ces personnages secondaires se répartissent en trois catégories. La première comprend des personnages, « charnières » comme les personnages principaux, qui, tout comme eux, vivent une situation interculturelle et facilitent la communication entre les groupes culturels. La seconde catégorie regroupe des personnages que nous dirons « verrous », au sens où ils bloquent toute forme de communication interculturelle en maintenant constamment une distance entre nous et les autres. La troisième catégorie réunit les personnages issus d'unions mixtes sur les plans biologique ou culturel, c'est-à-dire « métis ».

Appartiennent au troisième groupe les personnages qui se meuvent dans l'ombre, peu actifs dans le récit, mais très importants pour la dynamique des relations interculturelles. Ils sont anonymes et reflètent l'idéologie de la société, du grand nous. Ces personnages que nous appellerons « institutionnels » n'agissent sur les autres que par l'intermédiaire de lois, de décrets ou de politiques institutionnelles.

Les personnages charnières

Les personnages charnières, qu'ils soient principaux ou secondaires, dominent dans les romans retenus comme, probablement, dans l'ensemble des romans traitant des relations interculturelles, qui ne pourraient exister sans leur

présence. D'une manière générale, les principaux personnages charnières partagent tous un certain nombre de
traits, comme si certaines caractéristiques favorisaient la
rencontre avec l'autre. Ainsi, des qualités telles que l'ouverture, la curiosité et la tolérance prédisposent à une
bonne communication interculturelle ; la marginalité constitue un point de convergence des différences, de quelque
nature qu'elles soient ; la pauvreté traduit le sort économique que la société réserve à ceux qui sont considérés
comme des étrangers ; la solitude semble être un sentiment
moteur qui pousse les uns à aller vers les autres. Finalement, les personnages charnières choisissent la voie de
l'expression artistique pour s'affirmer et se faire reconnaître
dans leur différence.

Ces personnages sont tantôt plutôt jeunes, tels Hugues
et Pat, tantôt âgés, telle Mme Rosa, mais rarement, sinon
jamais, d'âge mûr. Mais ce qui semble réunir les personnages charnières, ce n'est pas tant leur âge que leur situation
sociale ou affective commune.

Ils se caractérisent d'abord par leur ouverture à l'autre
et leur désir de rencontre. Certains sont très actifs dans la
dynamique de la relation interculturelle et vont continuellement vers l'autre. D'emblée ils s'intéressent à lui, s'infor-
ment sur ce qu'il pense, sur ce qui l'anime, sur certaines de
ses particularités culturelles. La plupart du temps, ils partagent avec lui des activités, ils aiment discuter et s'engagent
d'une manière affective dans la relation, tels Hans dans
L'ami retrouvé et Leaphorn dans *Là où dansent les morts*. Ce
dernier affiche une grande curiosité à l'égard des pratiques
religieuses zuñies non seulement pour bien faire son métier
de policier mais aussi parce que l'inexpliqué, c'est-à-dire la
culture de l'autre, le fascine. Il est aussi présenté comme to-
lérant, surtout envers les plus faibles, qu'ils soient ou non de
la même origine ethnique que lui.

D'autres personnages charnières, plus passifs, ont d'autres qualités, par exemple le respect, la sensibilité et la capacité d'écoute, qui aident à créer des relations harmonieuses sans pour autant s'engager dans une profonde communication. Ces personnages contribuent davantage à maintenir un climat social et politique équilibré qu'à développer une relation personnelle. Ainsi Pasquaanti, policier zuñi, dans *Là où dansent les morts*, collabore avec Leaphorn, mais sans montrer d'intérêt particulier pour la culture de son collègue navajo.

Le deuxième trait caractéristique est la marginalité des personnages charnières. Être différent de la norme par l'âge, l'orientation sexuelle, le statut social, etc., constitue un tremplin pour aller vers l'autre culturellement différent ou du moins d'origine ethnique différente. Par exemple, dans *Le souffle de l'harmattan*, Hugues a été adopté tout comme son ami africain Habéké et, dans *Le thé au harem d'Archi Ahmed*, Madjid, jeune immigrant maghrébin, a en commun avec son copain Pat l'âge et une situation socioéconomique défavorisée.

Toutefois, les personnages marginaux ne font pas de leur différence culturelle une marque personnelle de distinction ou l'élément principal de leur identité. C'est plutôt la société, les gens de la norme, qui les étiquettent en fonction de leur appartenance ethnique. Par exemple, dans *L'ami retrouvé*, Hans et sa famille se présentent en premier lieu comme souabes, puis comme allemands, puis comme juifs. Non-pratiquants, ils vivent en Allemagne depuis des générations et s'identifient sans peine à la culture allemande ; lors de la montée du nazisme, ils seront pourtant dénoncés comme juifs et mis à l'écart de la société. De plus, Hans et sa famille, de même que certains autres personnages, par exemple Nomi et ses proches dans *Obasan*, sont présentés comme appartenant depuis des générations à la société majoritaire sur le plan socioéconomique, mais non sur celui de l'identité nationale ou culturelle.

Aux premières manifestations du nazisme, Hans deviendra objet de railleries et sera rejeté par ses camarades de classe. Ce n'est qu'après son départ en Amérique qu'il se reconnaîtra une appartenance juive et se distinguera des Allemands non juifs, comme le montre cette réflexion : « Pourquoi me tracasser à propos de "leur" mort : je n'avais rien à voir avec "eux", absolument rien. Cette partie de moi-même n'avait jamais été » (Uhlman, p. 119).

Dans *Obasan*, Emily rappelle sans cesse qu'elle et les siens, par leur lieu de naissance et leur participation économique à la vie canadienne, sont avant tout des citoyens du Canada et non du Japon. Pourtant le gouvernement fédéral et celui de la Colombie-Britannique ne leur accordent que très tardivement des droits politiques et une reconnaissance sociale. Il leur a fallu connaître l'humiliation, les camps de travail et une longue attente.

Dans des moments de crise sociale ou, à plus petite échelle, dans les conflits personnels entre les enfants par exemple, la caractéristique ethnique des minoritaires devient prétexte aux railleries, au rejet et même à l'extermination.

La marginalité est en général peu valorisée par le groupe majoritaire. Celle de George dans *Là où dansent les morts* le fera qualifier de « fou », tant par les Navajos que par les Zuñis et les non-autochtones. La marginalité, du point de vue des personnages principaux, ne semble pas faciliter l'intégration à l'ensemble de la société. Elle est plus souvent qu'autrement considérée par les personnages verrous et institutionnels comme une plaie, un mal, une anormalité au nom de laquelle le dominant peut rejeter, refuser, discriminer, exterminer ou essayer d'adapter les marginaux, comme le rapporte *Les Boucs* : « [C'est] précisément là ce dont souffrent les Bicots : non pas leur incapacité de s'adapter, mais

l'acharnement que l'on déploie à *vouloir* les adapter»
(Chraïbi, p. 60).

Ainsi, être différent de la norme n'est pas une caractéristique recherchée par les personnages marginaux. Par
exemple, en attribuant à la différence de nature physique et
ethnique la raison du drame des Canadiens d'origine japonaise, Stephen, dans *Obasan*, rejette totalement sa famille et
les pratiques japonaises conservées depuis leur installation
au Canada. «Il [Stephen] a dit à Aya [sa tante] "de parler
comme du monde" [c'est-à-dire comme des Canadiens] [...]
Stephen est maussade quand Obasan revient lui offrir une
boule de riz. "Pas de la nourriture comme ça", dit-il, à
moitié sorti de sa coquille...» (Kogawa, p. 124 et 173).

Les romans se penchent davantage sur la marginalité,
en raison de différences de toutes sortes comme l'orientation
sexuelle, le statut social ou conjugal et l'origine ethnique,
que sur la nature même de la différence culturelle. Toutefois
entre marginaux, on peut trouver des formes de solidarité et
d'entraide. Elles représentent des valeurs et des comportements importants qui permettent à ceux-ci d'exister. Par
exemple, la solidarité féminine est manifeste dans *Le thé au
harem d'Archi Ahmed*, une solidarité face au monde extérieur
à la cité, mais aussi face aux hommes, qui, dans les romans,
sont ou absents ou violents. Il en est de même dans *La vie
devant soi* où ceux qui sont mis à l'écart se soutiennent dans
un quotidien difficile et font preuve d'une grande générosité
les uns vis-à-vis des autres. Tel est le cas de Mme Lola, un
travesti, qui aide Mme Rosa et Momo, financièrement ou en
faisant des travaux domestiques. On se rappellera aussi le
docteur juif, dans le même roman, qui «soignait tout le
monde du matin au soir et même plus tard» (Gary, p. 30).

Chez certains personnages charnières, leur marginalité
les sensibilise à toutes les différences. Elle permet de mieux
comprendre, de respecter et même de rechercher autrui. Par

exemple, dans *La vie devant soi*, la marginalité et la différence des uns suscitent chez Mme Rosa le respect, la tolérance, la compréhension. Le marginal peut être solidaire des autres différences et en être fasciné, comme en témoigne le petit Hugues du *Souffle de l'harmattan* dont les copains se distinguent de la norme : Habéké par sa couleur et son origine, Éric par son obésité, Nathalie par sa maladie, Odile par sa difficile situation familiale. Pour ces jeunes, déjà mis à l'écart, et en particulier pour Hugues, « il faut faire confiance aux unions » (Trudel, p. 50).

Par contre, dans une stratégie d'intégration, le marginal peut aussi tourner complètement le dos à sa différence et rechercher le centre en se confondant avec les représentants de la norme, tel Stephen, un descendant de troisième génération dans *Obasan*, qui rejette tout ce qui pourrait lui rappeler son origine ancestrale japonaise. Mais ce que tous les romans étudiés dénoncent la plupart du temps, c'est l'intolérance, le mépris et l'injustice, qui renvoient à l'idéologie ethnocentrique ou raciste des groupes majoritaires envers les marginaux.

Les personnages charnières expriment également à maintes reprises des sentiments de solitude et la sensation désagréable d'être seuls au milieu de la foule. Et c'est pour cette raison — combattre le malaise engendré par la solitude — qu'un personnage va parfois rechercher la compagnie d'un être « différent » et devenir un personnage charnière. C'est pour combattre la solitude au sein de son propre groupe que Hans s'adresse à Conrad, que Hugues se lie d'amitié avec Habéké, et George avec Ernesto, que Mme Rosa s'attache à Momo et que Mme Beaulieu s'intéresse à Elsa et aux siens.

Cette solitude est ressentie lorsqu'on a l'impression de ne pas avoir de place ni de reconnaissance dans la société ou le groupe dans lequel on se trouve. L'autre devient alors un réconfort, presque une bouée de sauvetage, comme le dit Hugues dans *Le souffle de l'harmattan* : «L'avenir me faisait moins souffrir parce que avec Habéké, je n'étais plus seul comme généralement» (Trudel, p. 48). Dans *Là où dansent les morts*, le père Ingles explique la profonde solitude de George : «George cherchait quelque chose parce qu'il était assez intelligent pour comprendre qu'il n'avait rien. Il savait exactement ce qu'avait fait sa mère [de la prostitution] et c'est une chose très dure pour un enfant. Et bien sûr il voyait que son père était un ivrogne, et c'était peut-être encore pire. Il vivait loin de sa famille, les coutumes navajos lui étaient refusées, et il n'avait rien pour les remplacer» (Hillerman, p. 141-142). Tout comme Yalann dans *Les Boucs*, pour qui la solitude devient au fil des années comme un gouffre de plus en plus profond : «Une espèce de fumée d'opium plus dense, plus entraînante qu'une musique, je prenais conscience de ma lassitude de la misère, des méningites d'enfant, de la solitude, surtout de la solitude» (Chraïbi, p. 121). De Pat et Madjid, dans *Le thé au harem d'Archi Ahmed*, l'auteur écrira : «Ils préféraient être à deux pour cogner sur les autres, les commander avant le prof. C'est une forme de faiblesse. Ils en étaient conscients. Deux faiblesses qui s'unissent n'égalent pas une force, mais c'est la peur en moins» (Charef, p. 51). Et l'on pourrait ajouter «la solitude en moins».

Dans *Là où dansent les morts*, la solitude omniprésente est une caractéristique des personnages marginaux. Chez les Blancs, le père Ingles est seul dans sa mission, depuis des mois, Ted Issacs n'a qu'une alouette comme interlocutrice et Suzanne est isolée, loin de sa famille, marginale par rapport aux autres hippies. Quant au policier navajo Leaphorn, dans une certaine mesure, il est seul aussi, au volant de sa voiture, et traverse des périodes où il ne veut voir personne. Mais c'est le jeune navajo George qui est décrit comme l'être le plus solitaire, caractéristique qui le pousse à vouloir s'intégrer à la communauté zuñie de son ami Ernesto.

Dans la majorité des romans analysés, la pauvreté et les conditions de vie précaires caractérisent la situation socio-économique des personnages charnières : ils occupent des emplois de second ordre, par exemple comme domestique, telle Elsa dans *La rivière sans repos*, ou ils sont abonnés à l'assurance-chômage ou à l'assistance sociale, tel Yalann dans *Les Boucs*. La majorité sont confinés dans cette précarité et, surtout, ont peu d'espoir de mobilité sociale.

La marginalité, la solitude et la pauvreté affectent tous les aspects de la vie des personnages charnières principaux. Par exemple, leur degré de scolarité est faible. Dans *Le thé au harem d'Archi Ahmed*, Pat sait à peine écrire : «C'est au collège d'enseignement technique, l'université du-fils-du-pauvre-qui-n'a-pas-eu-de-chance, que Pat et Madjid se lient d'amitié» (Charef, p. 51). Leurs comportements seront délinquants tout comme ceux de Richard dans *Black boy*. Les Boucs et Yalann, dans *Les Boucs*, sont aliénés, voire criminels. Elsa, dans *La rivière sans repos*, vit en plein désarroi culturel, à la recherche de son identité entre la tradition culturelle et le modernisme.

Pour les personnages issus de familles favorisées, vivant dans un quartier aisé, par exemple celle de Hans dans *L'ami retrouvé*, ou celle de Nomi dans *Obasan*, la situation socioéconomique demeure précaire. En période de crise sociale et politique, les familles se retrouveront totalement dépossédées. L'épisode des Canadiens d'origine japonaise raconté dans *Obasan* témoigne de cette fragilité : lors de la seconde guerre mondiale, le gouvernement canadien a confisqué tous les biens des familles canadiennes d'origine japonaise, maisons, fermes, bateaux de pêche, voitures, appareils photographiques, etc.

Ces personnages charnières qui sont marginalisés, souffrant de solitude et décrits comme différents, partagent le désir de devenir écrivains, romanciers ou poètes, croyant peut-être ainsi échapper à un univers fermé et étouffant. Dans *Black boy*, c'est à partir du moment où le personnage principal découvre la lecture et les livres qui lui révèlent de nouveaux points de vue et horizons qu'il imagine devenir écrivain : « Je voulais écrire et je ne connaissais même pas la langue anglaise » (Wright, p. 429). Dans *La vie devant soi*, Momo rêve d'écrire les misérables « parce que c'est ce qu'on écrit toujours quand on a quelque chose à dire »(Gary, p. 217). Et la tante Emily, « une guerrière des mots », écrira « L'histoire des Nisei au Canada : une lutte pour la liberté » (Kogawa, p. 64). Enfin Yalann, dans *Les Boucs*, a beaucoup à dire sur la situation misérable des Boucs, sur sa difficile intégration à la société française. Il écrira sur des bouts de carton de cigarettes l'histoire des Boucs, ces immigrés nord-africains aliénés par le racisme français. « Il [Yalann] tenta — et Raus le soutint — de leur [les Boucs] expliquer pourquoi il voulait étaler leurs misères à tous sous la forme d'un livre : une sorte de journal plié en trois cents pages qui leur serait entièrement consacré » (Chraïbi, p. 148).

Mais aux yeux des Boucs, le fait que Yalann désire écrire le fera considérer comme un traître. « Waldick était pour eux un Chrétien[3] » (Chraïbi, p. 147). Ainsi l'écriture deviendra pour Yalann un moyen de communiquer avec la société d'accueil, de revendiquer sa place sociale et sa différence alors que les Bicots, tous plus désillusionnés et plus aliénés les uns que les autres, « se méfiaient des mots, des rêves, des idéologies » (Chraïbi, p. 151).

---

3. Les chrétiens sont associés aux Français, alors que les Boucs sont de religion musulmane.

Hans, dans *L'ami retrouvé*, devient avocat tout en se considérant comme un raté parce qu'il n'avait pu écrire : «Je voulais être poète, mais le cousin de mon père ne supportait pas que l'on déraisonnât [...]. Je n'ai jamais réalisé ce que je voulais vraiment : écrire un bon livre et un bon poème» (Uhlman, p. 114-115). Dans *Là où dansent les morts*, le père Ingles dira de George : «Il deviendra poète, ou il se tirera une balle, ou encore il finira alcoolique comme son père» (Hillerman, p. 141).

Pour les Yalann, Momo, Hans et les autres, les mots, qu'ils soient dits, criés ou écrits, représentent le moyen de se libérer de tensions aliénantes, de dénoncer des réalités cachées, de sortir du silence et de l'anonymat et, finalement, de permettre d'être reconnus avant tout comme êtres humains par le groupe majoritaire et dominant. La performance artistique devient donc une solution à la mise à l'écart sociale. L'écriture, la poésie, le témoignage public semblent être une voie privilégiée, que pourraient emprunter les personnages marginalisés et rejetés pour passer d'un groupe à l'autre, pour s'intégrer. Les activités socio-culturelles et plus particulièrement le domaine artistique sont en général peu réglementées et constituent par conséquent un espace de rencontre plus accessible que d'autres. Ainsi, les personnages marginalisés rêvent de performer dans la culture dominante ou au sein du groupe majoritaire. La performance artistique, quelle qu'elle soit, devient une stratégie personnelle pour accéder à la reconnaissance.

Pourtant, ce désir de devenir écrivain ne se réalisera pas toujours, comme l'explique Richard dans *Black boy* : «Pénétré d'impressions et d'idées neuves, j'achetai une rame de papier et j'essayai d'écrire, mais rien ne vint, ou du moins ce qui vint était d'une platitude désespérante. Je découvris que le désir et la sensibilité ne suffisaient pas à faire un écrivain et j'abandonnai l'idée» (Wright, p. 427). Ou encore la voie sera truffée d'embûches parce que, pour être reconnu, il faut se confronter au pouvoir, en particulier celui de l'institution littéraire. Comme le découvrira Yalann Waldick, dans *Les Boucs*, qui décrit, sur des petits bouts de cartons de cigarettes, lors de ses séjours en prison, la vie misérable de ses compatriotes. À sa sortie, il tente de publier ses notes. On lui ferme les portes. Et Yalann reprochera à l'éditeur et intellectuel Mac O'Mac, qui se veut défenseur des opprimés, de récupérer la situation des immigrants maghrébins à son profit et de s'en servir à des fins professionnelles : « [...] et je [Yalann] sais maintenant — que la parole ne doit jamais être directe et que, si quelque trente millions de Nord-Africains souffrent et espèrent, ce n'est jamais à eux de s'exprimer, mais bien à un Mac O'Mac[4] » (Chraïbi, p. 93).

Les personnages métis

On pourrait penser que les métis sont des personnages charnières idéaux et qu'ils ont les qualités essentielles au développement d'une relation interculturelle harmonieuse, mais il n'en est rien, du moins dans les romans qui nous occupent. De par sa naissance, en effet, le métis culturel ou biologique appartient à la fois à deux groupes sans appartenir ni à l'un ni à l'autre. La position est insoutenable, et les romans expliquent que les métis doivent choisir entre les deux groupes d'appartenance, sinon ils meurent. Ce personnage particulier semble être un individu profondément solitaire, état difficilement supportable. Il n'existe que sur le

---

4. Entre Yalann et Mac O'Mac, il y aura non seulement une lutte professionnelle mais aussi sexuelle pour Simone, la femme de Yalann. La compétition entre intellectuels est un thème que l'on retrouve dans des romans récents, notamment dans *Du feu pour le grand dragon* de KY, où on remet en question le rôle des sociologues dans la gestion des relations interculturelles. Associé à la concurrence intellectuelle, l'enjeu sexuel est présent sous forme d'une femme désirée par deux hommes d'origine ethnique différente.

plan individuel, jamais sur le plan collectif. Ce qui fait de lui un personnage très vulnérable qui, au cours de sa vie, n'aura d'autre choix que de s'intégrer totalement à un des deux groupes dont ses parents sont issus ou de disparaître. À quelle tradition culturelle va-t-il s'identifier ? À quelle famille et à quel groupe d'appartenance va-t-il s'assimiler ? Qui sont ses semblables ? Telles sont les questions auxquelles le métis devra répondre pour forger son identité sociale.

Fruit de relations interdites, les métis sont présentés comme des indésirables, un peu répugnants, suscitant le malaise dans leur entourage. Leur origine enfreint de nombreux tabous ; ils sont le produit d'une transgression non seulement culturelle, mais aussi biologique, ce qui fait d'eux des « sangs mêlés », comme on les appelle souvent. Par exemple, dans *La rivière sans repos*, Jimmy est né du viol d'une jeune Inuit par un soldat américain ; dans *Les Boucs*, Fabrice est né d'un mariage raté entre une Française et un immigré arabe. Les jeunes métis gardés par Mme Rosa, dans *La vie devant soi*, sont, eux, des enfants de prostituées immigrées et de pères d'origine diverse ; dès leur naissance, par le métier de leur mère et par leur condition de métis, ils héritent doublement du statut d'indésirables.

Parce qu'il n'est pas accepté socialement et culturellement, le métissage culturel ou biologique semble voué à l'échec. Fabrice meurt, Jimmy quitte le peuple où il a été élevé pour devenir soldat américain tout comme son père, qu'il n'a jamais connu. Et, dans *À la poursuite des Slans*, selon le plan des Humains, les Slans-métis disparaîtront en s'assimilant physiquement.

Les personnages verrous

Les personnages verrous occupent le deuxième plan des romans. Ce sont en fait des personnages « négatifs » qui bloquent la relation interculturelle. Par leur attitude active ou passive, ils coupent tous les ponts de la communication et ne laissent entrevoir aucune possibilité de contact. Étant secondaires et moins nombreux que les personnages charnières, ils sont moins présents dans le récit. Leur rôle consiste à discréditer les personnages charnières et à court-circuiter les rapports d'altérité, en tenant notamment un discours de fermeture aux autres. Ils sont relativement conformistes et ont tendance à se définir comme la norme, et il sont généralement indifférents à l'autre.

S'ils appartiennent le plus souvent au groupe majoritaire, on trouve dans certains romans, par exemple dans *Black boy*, des personnages verrous issus du groupe dominé. Certains membres de la famille de Richard et certains de ses copains adoptent ainsi, pour toutes sortes de raisons personnelles ou socio-historiques, des attitudes fermées, repliées, non respectueuses de l'autre. Toutefois, si les personnages verrous du groupe dominant ont une attitude fermée, c'est notamment parce qu'ils désirent garder certains pouvoirs et privilèges, ceux du groupe dominé semblent adopter une attitude du repli par réaction de défense à l'égard d'une situation qui les dépasse, qui les écrase et devant laquelle ils se sentent impuissants.

En général, les romans à saveur autobiographique présentés du point de vue de l'immigré, du minoritaire ou du racisé décrivent des personnages verrous issus de la société dominante qui constituent des embûches à leur reconnaissance ou à leur intégration. Ces personnages verrous ont trois caractéristiques.

La première est que les personnages les plus actifs pour contrecarrer la relation interculturelle tiennent souvent des propos mythiques ou chimériques sur les autres, propos qui ont pour effet de créer une grande distance entre eux et ces derniers. Par exemple, dans *L'ami retrouvé*, la mère de Conrad refuse tout des juifs, même si elle n'en connaît aucun. Elle a peur des influences de la religion juive sur son fils, est persuadée du complot politique de la juiverie et n'hésitera pas à utiliser des arguments peu fondés afin que son fils n'entretienne pas de relation avec son ami juif. Conrad expliquera ainsi cet état de choses à son ami : « Ma mère descend d'une famille polonaise distinguée, jadis royale, et elle hait les Juifs. [...] Elle en a peur, bien qu'elle n'en ait jamais rencontré un seul. [...] Elle n'admettra jamais l'idée de faire ta connaissance. Elle est jalouse de toi parce que toi, juif, tu t'es fait un ami de son fils. [...] De plus, elle a peur de toi. Elle croit que tu as sapé ma foi religieuse, que tu es au service de la juiverie mondiale, ce qui revient à dire le bolchevisme, et que je serai la victime de tes machinations diaboliques » (Uhlman, p. 95).

Les personnages verrous sont ensuite décrits ou se présentent comme des porte-parole de la société et de ses normes. Ils n'affichent aucune différence particulière ; du moins leur différence, par exemple appartenir à l'aristocratie telle la famille de Conrad dans *L'ami retrouvé*, est-elle considérée comme acceptable, même enviable. Ils se sentent à l'aise dans la société et croient que leur place leur est due.

Dans *Là où dansent les morts*, on présente le policier fédéral O'Malley comme un représentant typique du FBI, arrogant, froid, qui ne doute de rien, ne s'intéresse qu'à ce qu'il fait et ne veut rien partager de ce qu'il sait. C'est ainsi que les journaux sont avertis des conclusions de l'enquête des policiers fédéraux, alors que Leaphorn, parce qu'il est navajo et policier local, ne sera pas mis au courant.

Troisième caractéristique, certains personnages verrous semblent au premier abord indifférents et silencieux, affichant une attitude qui paraît neutre à l'égard des relations interculturelles, sans favoriser ni empêcher la communication. Leur silence et leurs actions semblent anodins, mais en réalité leur indifférence même les trahit et contribue aux tensions dans les rapports d'altérité et finalement les rend complices. C'est le cas du père de Conrad, dans *L'ami retrouvé*, qui trop sûr de lui n'éprouve aucune peur du dominé ou du marginalisé. Les juifs le laissent indifférents, et peu lui importent les fréquentations de son fils pour autant qu'elles ne contrarient pas sa femme — très antisémite — dont il est encore très amoureux.

Bien souvent, le silence des personnages verrous s'accompagne de leur absence. Par exemple, dans *L'ami retrouvé*, Conrad n'invite chez lui son ami Hans que lorsque ses parents, personnages verrous, ne sont pas là. « Près de quinze jours plus tard, il m'invita de nouveau. [...] De nouveau, ses parents semblaient absents, ce qui ne m'importait guère, car je redoutais un peu de les rencontrer, mais lorsque cela se reproduisit une quatrième fois, je commençai à soupçonner que ce n'était pas une coïncidence et à craindre qu'il ne m'invitât que lorsque ses parents n'étaient pas là » (Uhlman, p. 86).

Les personnages institutionnels

Les personnages institutionnels sont le plus souvent passifs et désincarnés. Ils traduisent l'orientation officielle de la société concernant la gestion des relations interculturelles. Lorsqu'ils se manifestent, ils revêtent la forme de personnages verrous, dont le silence et l'indifférence condamnent toute possibilité de communication interculturelle. Par exemple, dans *Obasan*, ceux qui ne veulent pas être associés aux actions discriminatoires entreprises par leurs concitoyens ou leur gouvernement se replient derrière un mur invisible et se ferment les yeux, comme le souligne à maintes reprises le personnage d'Emily : « Il y en a d'autres qui, même s'ils ne veulent pas nous persécuter, sont ignorants et indifférents et qui croient que nous sommes très bien traités compte tenu de la "classe" de gens dont nous sommes. [...] À Toronto, il y a eu les Juifs qui nous ont ouvert leurs portes et nous ont embauchés. Mais pour chaque personne qui a tenté de nous aider, il y en a eu des milliers qui n'ont rien fait. Des villes dans toutes les provinces nous ont fermé leurs portes » (Kogawa, p. 133 et 278).

Leurs contacts avec les personnages charnières sont froids et formels. Les échanges personnels sont absents. Ces individus témoignent de l'indifférence et du pouvoir que peut manifester une société dominante envers les étrangers, les marginalisés et ceux que l'on considère comme hors norme.

Chapitre 5

La langue de l'altérité

Bien que les relations interculturelles se déroulent dans un cadre temporel et spatial qui dépasse les individus, elles n'en demeurent pas moins des relations interpersonnelles. Elles se vivent entre personnages appartenant à des communautés particulières dont l'ascendance sur leurs membres influe sur l'interaction sociale. La nature de la relation se reflète dans le langage, tant verbal que non verbal. Les mots, les gestes, les expressions du visage tout comme le regard ou le toucher qu'on utilise pour communiquer, ou pour ne pas communiquer, se retrouvent au cœur même de la relation interculturelle.

Les formes verbales et non verbales que revêtent les rapports interculturels sont nombreuses dans les romans étudiés et elles permettent de saisir la subtilité, la complexité et la qualité des échanges. La littérature donne toute une gamme de nuances au langage qui traduisent autant d'attitudes : le timbre et le ton de la voix, la qualité du silence — hostile ou complice —, le type de rire, l'absence de réponse ou le refus de poser des questions, la façon de regarder l'autre ou de faire comme si on ne le voyait pas, le froncement des sourcils, la brillance ou l'aspect terne des yeux, le fait de les baisser ou de les ouvrir, l'expression du visage — pensif, interrogateur, fermé, obstiné, curieux —, le sourire — combatif, menaçant, provocateur ou amical... Les gestes également évoquent le type de relation entre les personnages : offrir une cigarette, du café, aider ou ne pas aider, toucher, etc.

Le langage non verbal

Le langage non verbal constitue, dans les récits étudiés, un des aspects de l'interaction interculturelle les plus significatifs quant au rapport que l'on entretient avec l'autre, et des plus prolifiques en termes de manifestations. Les sens sont largement exploités pour caractériser les diverses formes d'échange qui y ont lieu.

Avant même d'aller vers l'autre et de lui adresser la parole, on perçoit des signes de nature non verbale. Son phénotype, son apparence physique, le révèle déjà dans sa différence. Dans *La vie devant soi*, Momo présente un jeune compagnon de jeu en ces termes : «[...] Moïse était blond avec des yeux bleus et sans le nez signalétique et c'étaient des aveux spontanés, il n'y avait qu'à le regarder» (Gary, p. 22). Lui, Momo, pouvait être «n'importe quoi» sauf un Français : «J'ai des cheveux bruns, des yeux bleus et je n'ai pas le nez juif comme les Arabes, j'aurais pu être n'importe quoi sans être obligé de changer de tête» (Gary, p. 87). Pour pallier ce phénotype révélateur et stigmatisant, il se croit obligé d'adopter des comportements typiquement français, afin de passer inaperçu ou du moins ne pas se faire suspecter : «J'avais un peu les jetons. Je me suis mis à siffloter *En passant par la Lorraine* parce que je n'ai pas une tête de chez nous et il y en avait un [flic] qui me souriait déjà» (Gary, p. 108). Moïse n'est pas le seul blond, il y a aussi Nadine et ses deux mômes. Il en est de même dans *Le thé au harem d'Archi Ahmed*, où les personnages français ont des têtes blondes, tels Pat et le fils de Josette. À la télévision, Madjid écoute la chanson populaire qui renchérit sur la norme idéalisée «Paris, c'est une blonde» (Charef, p. 164). Dans les deux romans, le nous affiche un phénotype blond alors que les autres, tels Momo et Madjid, sont bruns.

Tout comme l'apparence physique, les vêtements et la posture peuvent trahir la différence et par conséquent créer une distance ou un rapprochement avec les autres. Dans *Le thé au harem d'Archi Ahmed*, la mère de Madjid l'apprendra à ses dépens dès qu'elle foulera le sol français : «[...] sur le quai de la gare d'Austerlitz [...] Malika avait gardé son voile, perdue entre deux civilisations. Elle fut la curiosité des banlieusards qui allaient pointer au bureau [...]. Son haïk, elle l'avait acheté exprès pour le voyage. C'est son costume de première, et elle découvre qu'ici les femmes n'en portent pas» (Charef, p. 116).

La mimique et la gestuelle sont également révélatrices. Dans *Obasan*, Nomi fait la lecture du visage d'une petite fille de son âge : «Chaque fois qu'elle me voit, ses yeux deviennent étroits, elle a une épaule qui se relève légèrement, ses narines s'élargissent et elle détourne la tête, comme si elle venait tout à coup de sentir quelque chose de mauvais» (Kogawa, p. 236). Le visage traduira tour à tour la fermeture ou la curiosité, l'intérêt ou la colère qui rapprochent ou séparent les personnages. Dans *Black boy*, le narrateur décrit ainsi un homme blanc : «Son visage était dur, contrarié et soupçonneux...» (Wright, p. 312). Outre l'expression du visage, le ton de la voix — timbre, vibration — et les gestes — nerveux, apaisants, colériques — témoignent du type de communication interculturelle en présence.

Dans *Black boy*, dans une scène entre des Blancs et une femme noire, l'auteur utilise mimique et gestuelle pour traduire les relations inégales et violentes entre Blancs et Noirs : «[...] le patron et son fils arrivèrent dans leur voiture. Une Négresse apeurée était assise entre eux. Ils descendirent et firent entrer de force la femme dans le magasin, en la traînant et la poussant à coups de pied. Les passants blancs regardaient d'un air impassible. Un policeman blanc, posté à l'angle de la rue, observait la scène en faisant tournoyer son bâton ; il ne bougea pas» (Wright, p. 308).

Outre le phénotype, la gestuelle, les expressions du visage, l'odeur est un élément important de la définition de l'un et de l'autre comme en témoigne une conversation entre deux jeunes Noirs dans *Black boy* : «Ils [les Blancs] disent qu'on pue. Mais ma mère dit que les Blancs ils sentent comme les morts. [...] Les Nègres sentent quand ils sont en sueur. Mais les Blancs sentent *tout le temps*» (Wright, p. 141). Et, tout comme le raconte Hans, à propos d'un copain de classe dans *L'ami retrouvé* : «[...] Schulz, se pinçant le nez comme s'il sentait une mauvaise odeur, me dévisagea d'un air provocant» (Uhlman, p. 105).

Les jeux du regard sont omniprésents dans les romans. Le regard semble être le sens le plus exploité par les narrateurs pour rendre compte de la qualité d'une interaction. Il peut être absent, détourné, condescendant, complice, muet ou affectueux, sécurisant, comme le rapporte Momo dans *La vie devant soi* : «M. Hamil a de beaux yeux qui font du bien autour de lui» (Gary, p. 10). Par ailleurs, il peut permettre de définir la place qu'occupent les protagonistes, d'entrevoir les liens qui les unissent ainsi que les sentiments qu'ils éprouvent les uns vis-à-vis des autres, comme en témoigne Nomi dans *Obasan* : «Le coup d'œil que lance Mme Baker à Obasan traduit de la condescendance. Ou est-ce de la sollicitude ?» (Kogawa, p. 333).

Le regard des uns a le pouvoir de rendre les autres visibles ou invisibles, c'est-à-dire de leur donner le sentiment d'exister ou de ne pas exister, et témoigne de la reconnaissance ou de la non-reconnaissance qu'ils se vouent. Sartre disait : « Il suffit qu'autrui me regarde pour que je sois ce que je suis[1]. »

L'idée de rendre l'autre visible ou invisible est particulièrement révélatrice du type de relation interculturelle. Le souci de visibilité se manifeste chez ceux qui se sentent tenus à l'écart de la société. C'est pourquoi attirer le regard de l'autre et éveiller sa curiosité lorsqu'il fait partie de la majorité deviennent des objectifs importants pour les personnages en mal de reconnaissance. Ainsi, dans *L'ami retrouvé*, Hans veut attirer l'attention de Conrad par un exploit physique : « J'allai lentement jusqu'à la barre, me tins au garde à vous et sautai. [...] Je parcourus la salle du regard. [...] Je regardai Hohenfels et, quand je vis ses yeux fixés sur moi, je soulevai mon corps de droite à gauche [...]. Je me dressai soudain à la verticale, sautai par-dessus la barre, me projetai en l'air... puis floc ! [...] Il y eut quelques rires réprimés, mais quelques garçons applaudirent. [...] Demeurant immobile, je tournai les yeux vers lui. Conrad, inutile de le dire, n'avait pas ri. Il n'avait pas non plus applaudi. Mais il me regardait » (Uhlman, p. 35-36).

Le croisement des regards constitue un premier pas vers la communication. À l'inverse, lorsque la relation entre majoritaire et minoritaire est teintée d'animosité, de haine et de rejet et que l'un détient le pouvoir d'écraser l'autre, certains individus chercheront à se rendre invisibles et à fuir les regards écrasants du dominant. C'est le cas de Mme Rosa dans *La vie devant soi* et de plusieurs Canadiens d'origine japonaise dans *Obasan*, lorsqu'ils choisissent de rester en retrait des regards hostiles et désapprobateurs. Ils préfèrent ne

---

1. Dans Edmond Marc Lipiansky, « Identité subjective et interaction », *Stratégies identitaires*, Paris, PUF, 1990, p. 175.

pas se faire remarquer et garder l'anonymat, comme le déclare Nomi dans *Obasan* : « Ne relève pas les yeux. Quand tu es en ville, ne regarde personne. De cette façon, tu offenseras moins » (Kogawa, p. 272).

Dans les romans analysés, le canal visuel traduit bien souvent les tensions, ou au contraire les affinités et la complicité entre les personnages de groupes ethniques différents. Par exemple, l'amitié des personnages principaux du *Thé au harem d'Archi Ahmed* : « Quand leurs regards se croisaient, Madjid et Pat se faisaient un clin d'œil vainqueur » (Charef, p. 153). Momo, dans *La vie devant soi*, est particulièrement sensible au regard des autres, celui des adultes comme celui des enfants : « Ils [les deux enfants français de Nadine] m'ont tout de suite regardé comme si j'étais de la merde. J'étais fringué comme un minable, je l'ai senti tout de suite » (Gary, p. 221).

Détourner le regard peut aussi être une façon de réduire l'autre à néant tel le policier fédéral à l'égard du policier navajo dans *Là où dansent les morts* : « Baker avait jeté un regard sur Leaphorn, le regard de quelqu'un qui ne l'avait jamais vu, puis avait détourné les yeux. De toute évidence il ne voulait pas être vu en train de parler à quelqu'un qui portait l'uniforme de la Police Navajo » (Hillerman, p. 219).

Dans *Les Boucs*, le regard muet des passants français trahit leur peu de considération pour les immigrés arabes qu'ils surnomment « bicots » : « Ceux qui s'arrêtaient pour les voir passer fermaient brusquement les yeux, en une minute de doute intense et subit, où l'origine et la fin conventionnelles de l'homme étaient vélocement révisées, les classifications des règnes et les métaphysiques mises à bas [...] ils ouvraient les yeux : la faillite de la civilisation, sinon de l'humanité, qu'ils avaient vu défiler vêtue de fripes — ou, à tout le moins, des fripes emplies de néant » (Chraïbi, p. 24-25).

Enfin, le dernier sens, le toucher, intervient généralement pour décrire des contacts chaleureux, affectueux ou
rassurants, ou à l'opposé des contacts agressifs comme des
attaques physiques. Dans *La vie devant soi*, Momo mentionne souvent le bien-être et la reconnaissance qu'il ressent
à l'occasion d'un contact physique rassurant, par exemple,
avec le docteur Katz, un juif, qui, quand il «venait me
caresser les cheveux, je me sentais mieux» (Gary, p. 65). Ou
encore au contact affectueux de Nadine : «Elle a couru vers
moi comme si j'étais quelqu'un et m'a mis le bras autour des
épaules» (Gary, p. 212).

Ajoutons à l'odeur, à la gestuelle, à la mimique et
au regard plusieurs autres manifestations de langage non
verbal. Tel le sourire «difficile à sortir» du père Levesque
aux salutations de Madjid dans *Le thé au harem d'Archi
Ahmed* (Charef, p. 12). Ce sourire forcé exprime son antipathie à la fois envers les jeunes et envers les immigrés,
principalement les Arabes. À l'inverse dans *La vie devant
soi*, Nadine, une jeune femme française, sympathise avec
Momo : «Elle avait un sourire qui était tout à fait pour
moi» (Gary, p. 216).

Finalement, le rire permet soit de défier ou d'infério-
riser l'autre, comme le souligne Hans dans *L'ami retrouvé* :
«Bollacher ricana — cette sorte de ricanement supérieur et
stupide qu'arborent certaines personnes lorsqu'elles voient
un babouin au zoo...» (Uhlman, p. 105). Soit, comme dans
Le thé au harem d'Archi Ahmed, d'exprimer une complicité
entre les deux personnages principaux : «Ils rient en se
tapant dans la main. La tape de l'amitié. Unis pour le meilleur et pour le pire» (Charef, p. 60). Et comme le fait remarquer Richard, dans *Black boy*, le droit au rire appartient
seulement à ceux qui peuvent s'affirmer ouvertement et
librement : «Mais quand Griggs [un Noir] riait, il mettait
sa main devant sa bouche et pliait les genoux, geste automa-

tique, destiné à cacher sa joie excessive en présence des Blancs» (Wright, p. 317).

Le langage verbal

Les mots appuient et confirment le langage non verbal. Leur pouvoir est immense. Il ne tient pas à la définition même des termes, mais à la signification qu'on leur attribue. La façon de nommer l'autre, de le caractériser, la manière de l'interpeller rend compte du pouvoir de la parole. Celle-ci définit l'autre, lui laisse entrevoir la façon dont on le perçoit et la façon dont on veut entrer en contact avec lui. Ainsi, il pourra se sentir reconnu ou nié, méprisé, respecté, ou ignoré.

Tout comme l'apparence phénotypique ou vestimentaire, les prénoms et les noms que l'on donne aux enfants ou que l'on reçoit à la naissance sont porteurs de sens et identifient les individus. Comme les divers éléments au sein d'une culture, ils prennent toute leur signification selon le contexte socioculturel.

Les prénoms peuvent avoir des connotations historiques ou témoigner de l'appartenance religieuse. Ainsi en va-t-il des prénoms des enfants gardés par Mme Rosa dans *La vie devant soi* : «Moïse est un nom juif, dit-il [le père de Momo]. [...] Moïse n'est pas un bon nom musulman...» (Gary, p. 195). Si l'habit ne fait pas le moine, le prénom ou le nom, eux, constituent parfois une marque indélébile. Le père de Momo, par exemple, n'accepte pas que Mme Rosa ait nommé et élevé son fils comme un juif plutôt que comme un musulman.

C'est par le prénom et le nom qu'on affiche une similitude ou une différence avec les autres, qu'on crée une distance ou un rapprochement à l'égard des membres de la société, comme l'explique Momo dans *La vie devant soi* :

«Elle [Nadine] aurait pas dû dire Mohammed, elle aurait dû dire Momo. Mohammed, ça fait cul d'Arabe en France, et moi quand on me dit ça, je me fâche. J'ai pas honte d'être arabe au contraire mais Mohammed en France, ça fait balayeur ou main-d'œuvre. Ça veut pas dire la même chose qu'un Algérien. Et puis Mohammed ça fait con. C'est comme si on disait Jésus-Christ en France, ça fait rigoler tout le monde» (Gary, p. 222).

Les prénoms à consonance étrangère peuvent faire rougir de honte ceux qui les portent devant ceux qui les déforment. C'est ainsi que plusieurs prénoms de ce type ont aussi été acculturés ou carrément abandonnés dans un contexte multiethnique, tel que le mentionne Nomi dans *Obasan* : «Nous avons presque tous des noms raccourcis : Tak, c'est Takeo, Sue, Sumiko, Mary, Mariko. Nous cachons tous nos noms officiels comme nous le pouvons. J'ai signé mes livres M. Naomi N. ou Naomi M. N. Si Mégumi était mon seul nom, on m'appellerait Meg, Meg NaKane» (Kogawa, p. 301).

Le nom et le prénom ne font pas qu'identifier un personnage, ils permettent aussi de le situer. Dans *Obasan*, la première génération d'immigrants japonais affichait des prénoms qui les rattachaient à leur pays d'origine et qui incitaient les Canadiens à considérer les arrivants comme différents et non intégrés. Chez les descendants de deuxième et de troisième génération, tels Emily et Stephen, les prénoms se sont modifiés et canadianisés.

L'acculturation ou l'intégration des membres de communautés ethniques dans une société d'accueil peut se manifester notamment par la façon de nommer les enfants. Nommer, c'est circonscrire et établir une relation avec l'autre. La façon de nommer traduit la perception qu'on a de lui ainsi que la relation qu'on entretient ou que l'on veut entretenir avec lui. C'est ainsi que la façon de nommer reflète notre manière de classer les autres et de les juger. Par exemple, dans *Les Boucs*, les Français sont surnommés les «Chrétiens». D'une part, ce qualificatif fait référence à la différence religieuse qui sépare les Arabes-musulmans des Français-catholiques. D'autre part, il renvoie au type de relation que les Français colonisateurs, par l'intermédiaire des missionnaires chrétiens, entretenaient avec les pays arabes colonisés.

Dans le cas d'une relation teintée de mépris, les sobriquets rejettent l'autre complètement hors du nous, du côté d'autres espèces animales. Ainsi, on appelle les immigrés arabes «des bicots ou des boucs», les Canadiens d'origine japonaise «des poulets», les Noirs américains «des chameaux», les Slans «des serpents», etc. Dans des moments d'extrême violence, on rajoutera à ces noms des qualificatifs dégradants comme ceux que M. Levesque adresse à Madjid, dans *Le thé au harem d'Archi Ahmed* : «Barre-toi, bougnoule, va chez toi, sale bicot...» (Charef, p. 19).

Éviter de nommer l'autre traduit la résistance à le reconnaître. Dans *Obasan*, en parlant des Canadiens d'origine japonaise, certains Canadiens diront «les vous-savez-qui» (Kogawa, p. 126). Inversement, nommer l'autre en se référant à son origine ethnique, comme le rapporte Emily dans *Obasan*, manifeste l'enfermement dans lequel on veut le maintenir : «Mais, pire que l'agacement que je ressens, c'est cette impression horrible qui m'assaille chaque fois que j'ouvre la radio ou je vois un gros titre criant avec le mot "Japs". Tant qu'ils désigneront de ce terme l'ennemi et pas nous [Canadiens d'origine japonaise], ça n'a pas d'importance. Mais ici, on dit "Une fois Jap, toujours Jap", et ça, c'est nous. Et nous sommes alors l'ennemi» (Kogawa, p. 128).

Déformer le nom ou utiliser un sobriquet, même avec humour, témoigne soit d'un malaise à reconnaître l'autre dans sa spécificité, soit du désir d'ériger une barrière ou de maintenir une distance entre lui et soi. Les sobriquets utilisés par le groupe majoritaire peuvent être récupérés par le groupe victime dans le but de se protéger sur le plan affectif, comme le rapporte Richard dans *Black boy* : « [...] nous [un groupe de jeunes Noirs] employions le mot "nigger" pour nous prouver à nous-mêmes la dureté de nos sentiments » (Wright, p. 135). Ou pour rire de l'utilisateur comme le fait Leaphorn en répondant aux policiers régionaux : «Quand j'étais gosse, il y avait une devise suspendue dans le hogan de ma grand-mère. Elle disait : Méfie-toi de Ceux-qui-Ont-la-Peau-des Fesses-Rouge» (Hillerman, p. 107). Dans *Black boy*, nombreux sont les surnoms et les quolibets dégradants que les Blancs emploient pour interpeller des Noirs : « Allez, moricaud, rentre-lui dans le chou, à ce cochon de nègre ! [...] les mal blanchis !» (Wright, p. 414). Ou encore : «[...] enfant de putain de Nègre !» (Wright, p. 311).

Dans *Le thé au harem d'Archi Ahmed*, on raconte : «Dans le hall du bâtiment, deux mères de famille, une Française, une immigrée algérienne, se traitaient de tous les noms à propos des gosses. La grosse querelle. – C'est ton fils qui a frappé ma fille ! – C'est pas vrai ! – Il lui a même dit "sale bicot" ! – Il a raison ! [...] Va dans ton pays, si t'es pas contente !» (Charef, p. 156).

L'appartenance ethnique peut facilement devenir prétexte à insulte. Ainsi, les autres rappellent à tout instant à Momo qu'il n'est pas «véritablement un Français» : «Pendant longtemps, je n'ai jamais su que j'étais arabe parce que personne ne m'insultait. On me l'a seulement appris à l'école» (Gary, p. 12).

Les moqueries et les plaisanteries, bien qu'elles se présentent la plupart du temps sous une forme humoristique ou ironique, peuvent être haineuses et agressives. Elles consistent souvent à défier l'autre. Mais il n'est pas permis à tout le monde de se moquer : le droit à la moquerie et à la plaisanterie, tout comme celui au rire, est réservé à ceux qui détiennent le pouvoir. Et tout comme les insultes et les railleries, la moquerie et la plaisanterie concourent à bloquer la communication. Ainsi, dans *Là où dansent les morts*, la peur que chaque groupe amérindien a du rire de l'autre provoque une certaine retenue dans la communication entre Zuñis et Navajos. Il peut cependant arriver que les formes humoristiques calment les tensions, mais encore faut-il qu'elles s'inscrivent dans une relation amicale.

Moqueries, quolibets, sobriquets accompagnent soit une relation agressive, soit ce qu'il conviendrait d'appeler selon l'expression de Claude Lévi-Strauss « les relations à plaisanteries ». Celles-ci consistent à développer au sein du nous des relations qui permettent de se taquiner entre soi, selon certaines règles et avec des interlocuteurs reconnus, de s'insulter et d'utiliser des sobriquets qui, dans d'autres contextes, auraient des connotations négatives. Par exemple, dans *Le thé au harem d'Archi Ahmed*, les jeunes de la bande multiethnique s'affublent continuellement de sobriquets qui laissent les uns et les autres indifférents. Utilisés par des gens de l'extérieur de la bande, ces mêmes sobriquets deviendraient une insulte.

Les paroles violentes ou rassurantes sont des manifestations de communication verbale témoignant de la qualité d'une relation, tout comme le fait d'adresser ou ne pas adresser la parole à l'autre, comme en témoigne Yalann dans *Les Boucs* : « Dans ce coin perdu de Villejuif, il y avait trente-deux pavillons tout autour du mien. Trente-deux familles qui ne s'adressaient jamais la parole » (Chraïbi, p. 16). De même, Hans dans *L'ami retrouvé*, s'adressant à Conrad : « Tu aurais pu me parler un instant et te montrer conscient de mon existence » (Uhlman, p. 94). Ou encore la manière de s'adresser à l'autre, comme dans *Black boy* : « Dis donc, eh ! moricaud ! [...] Tu ne sais pas qu'on répond "Monsieur" à un Blanc?» (Wright, p. 310); «Et cette familiarité de la part d'un Nègre est considérée par les Blancs du Sud comme la pire des insultes» (Wright, p. 324). Dans le même roman, le directeur d'école avertira son étudiant : «Vous ne pouvez pas vous permettre de dire *n'importe quoi* à ces Blancs qui seront là, ce soir» (Wright, p. 299).

Finalement on peut enlever totalement à l'autre la liberté d'expression comme dans *Obasan* où l'on rapporte que durant la seconde guerre mondiale, le gouvernement canadien interdit aux Canadiens d'origine japonaise la publication de leurs journaux. De plus, certains fonctionnaires faisaient en sorte qu'ils ne puissent communiquer entre eux. «Toutes les cartes et les lettres sont censurées, même celles qu'on envoie aux camps des Nisei. Absolument rien de ce qu'on écrit à partir des camps ne paraît dans les journaux. On étouffe tout» (Kogawa, p. 153).

D'une manière plus subtile, on peut aussi court-circuiter le droit de s'exprimer, en prenant la parole à la place de l'autre ou en ne lui fournissant pas les outils nécessaires pour s'exprimer, comme le dénonce Yalann dans *Les Boucs*, en parlant des intellectuels français et de Mac O'Mac : «Régime de dattes ou pot-de-vin en espèces, exploitation de la souffrance et de l'espérance humaines et, du même coup, affirmation de la précieuse personnalité politico-littéraire de Mac O'Mac, que vaut une morale?» (Chraïbi, p. 93). Dans *Obasan*, Emily passera sa vie à donner des conférences à la fois pour reprendre la parole en tant que Canadienne d'origine japonaise, pour dénoncer le triste épisode des camps d'internement de son groupe ethnique, et pour répondre «aux accusations portées contre nous» (Kogawa, p. 65).

Chapitre 6

Tensions et rencontres

Les personnages se rencontrent (ou ne se rencontrent pas) dans divers domaines : arts, éducation, politique, etc., qui obéissent à des règles plus ou moins définies. Ces domaines, de nature publique ou privée, ne sont pas tous accessibles de la même façon, notamment parce que leurs limites peuvent être plus ou moins claires et institutionnalisées. La qualité des contacts et le déroulement de la communication dépendent de la nature des domaines de rencontre. Ainsi, plus un domaine, par exemple l'économie, est circonscrit socialement et codé culturellement, moins il est accessible à ceux que l'on considère comme des étrangers. À l'inverse, moins il est institutionnalisé, plus il est poreux — par exemple l'expression socio-artistique — et plus il permet la rencontre de l'autre et son intégration. Les luttes y sont moins âpres et les règles moins contraignantes.

On peut se représenter la hiérarchie des domaines sous forme d'entonnoir, où, plus on descend vers l'extrémité refermée, plus ils sont codifiés et conformes à la norme, résistants aux remises en question de ses assises, fermés à l'étranger. Ce qu'on peut appeler domaines de résistance a des limites relativement bien définies et est difficiles d'accès. Ces domaines élèvent d'énormes barrières à l'intégration de l'autre car le partage n'y est pas chose aisée. On peut supposer que les clôtures, bien souvent institutionnalisées, protègent en fait la tradition, les pouvoirs et les privilèges du groupe majoritaire.

À l'inverse, les domaines de pénétration favorisent la relation, ou du moins permettent de l'entamer, parce qu'ils sont moins structurés socialement et moins codés culturellement. Ils ouvrent différentes avenues, que peuvent emprunter les migrants, par exemple, pour participer à la société majoritaire.

En période de crise sociale ou politique, les tensions touchent tous les domaines de rencontre, qu'ils soient ouverts ou fermés, qui renforceront ainsi leur système de protection à l'égard de tout ce qui vient de l'extérieur. Ce qu'on partageait la veille devient dès lors objet défendu, les personnages charnières s'éloignent les uns des autres. Dans *Obasan* comme dans *L'ami retrouvé*, la société majoritaire tolère la pluriethnicité dans les écoles ou les professions jusqu'au moment où survient une perturbation sociale ou un conflit politique. Apparaissent alors règlements ségrégationnistes et attitudes de rejet envers l'étranger ou celui qui l'est devenu.

Domaines publics

C'est avant tout au sein d'une collectivité que l'intégration se fait ou non. Les relations interculturelles se déroulent généralement dans des domaines et des lieux publics avant d'être possibles dans des domaines privés. Les domaines publics constituent des espaces de vie qui permettent l'épanouissement à la fois de l'identité collective et de la sociabilité. On peut les diviser selon qu'ils facilitent la rencontre (domaines de coopération) ou qu'ils la bloquent (domaines de résistance).

Dans la réalité tout comme dans bien des romans, les relations interculturelles naissent et se développent dans des domaines généralement peu réglementés, considérés par la société dominante comme peu prestigieux. Ils laissent quelquefois plus de place à la liberté individuelle et permettent aussi l'expression d'une certaine forme de marginalité. Les romans présentent les activités de détente, les jeux et surtout les arts — musique, peinture, écriture — comme des domaines types de rencontre et de partage avec l'autre. Par exemple, dans *Là où dansent les morts*, un missionnaire blanc organise un tournoi de basketball entre jeunes Zuñis et Navajos ; dans *Le souffle de l'harmattan*, Hugues et Habéké partagent repas, jeux et autres activités ; dans *L'ami retrouvé*, Hans et Conrad, tous deux collectionneurs de pièces de monnaie, se rencontrent par le biais du champ artistique : « Il y avait notre intérêt commun pour les livres et la poésie, notre découverte de l'art, l'impact du post-impressionnisme et de l'expressionnisme, le théâtre, l'opéra » (Uhlman, p. 54).

Bien que les domaines de « coopération » soient peu explorés dans les romans retenus, ils sont présentés comme des espaces nécessaires au développement d'une relation interculturelle. Ils engendrent peu de tensions entre les personnages dans la mesure où, d'une part, le groupe majoritaire accepte que ceux qu'il considère comme étrangers aient leurs propres codes culturels et façons de faire, et que, d'autre part, il n'y a pas de pouvoirs ou de privilèges à partager. C'est ainsi que les arts, et les domaines socioculturels en général, peuvent offrir des moyens de dépasser la culture de l'un et de l'autre pour arriver à une véritable communication et parfois à une réelle communion ou, dans d'autres cas, à l'intégration. Dans *Obasan*, Stephen choisira la voie artistique pour s'affirmer dans la société canadienne et se libérer des tensions interculturelles. Adulte, il deviendra un célèbre pianiste qui effectue des tournées en Europe : « Deux années d'affilée, Stephen finit deuxième au concours de CJOC, la radio de Lethbridge. Toute la ville de Granton est fière de Stephen » (Kogawa, p. 302). La musique le poursuivra même dans ses rêves : « Il [Stephen] a dit en rentrant qu'il avait eu un cauchemar au sujet d'un insecte métallique de la grandeur d'un tracteur. L'énorme bête était en train de tisser une toile de barreaux de fer au-dessus de lui. (Plus tard, il m'a dit qu'il avait eu le même cauchemar une deuxième fois, mais qu'il avait réussi à s'échapper en transformant les barreaux en xylophone.) » (Kogawa, p. 327).

À côté des domaines publics de coopération, il y a les domaines publics de résistance. Si l'éducation, le travail, la vie sociale permettent rencontres et échanges, cela se fait toujours dans un cadre défini par la majorité. Ce sont des domaines plus fermés au changement et au partage des privilèges avec l'autre. La société dominante impose ses propres règles, généralement enracinées dans traditions et institutions. Par conséquent, ces espaces de vie, bien encadrés socialement par des façons de faire et de penser particulières, offrent plus de résistance au rapprochement.

Fréquentés par la grande majorité, l'éducation et le travail sont des domaines très réglementés et propices tant à la rencontre qu'à la lutte dans la mobilité sociale. Espaces par excellence de socialisation, ils autorisent la rencontre dans un lieu commun (s'il n'y a pas de ségrégation formelle) ; ils permettent aussi de faire connaissance avec l'autre, mais ils représentent surtout, pour les marginalisés, la voie d'une éventuelle intégration ou d'un avenir intéressant, comme le dit Richard dans *Black boy* : « J'allais à l'école avec le sentiment que ma vie future dépendait moins de l'instruction que j'y recevrais que de la fréquentation d'un monde différent » (Wright, p. 210). Les romans sont particulièrement

bavards sur ces domaines de rencontre très institutionnalisés
— particulièrement sujets aux tensions et aux injustices
sociales, que les textes dénoncent avec véhémence. Quant à
la vie sociale et à l'espace politique, ce sont des secteurs très
peu abordés, à l'exception d'*Obasan* où l'on traite à diverses
reprises les questions des droits et de la définition de la
citoyenneté.

L'école est un lieu de rencontre privilégié où les jeunes
d'ethnies ou de traditions culturelles différentes se sociali-
sent. C'est là que naît l'amitié entre Hugues et Habéké,
entre Conrad et Hans, entre Pat et Madjid, entre George et
Ernesto. L'école offre un espace de contact, tout en exerçant
un certain contrôle sur l'évolution des relations interculturelles. Elle est à la fois un centre intégrateur des différences et un centre de surveillance normatif.

En tant qu'institution au sein de laquelle se transmettent non seulement les connaissances, mais aussi un
système de pensée et des valeurs sociales particulières,
l'école peut favoriser ou bloquer, activer ou désamorcer les
rencontres aussi bien que les tensions interculturelles.
Malgré leur amitié, Conrad et Hans s'éloignent l'un de
l'autre sous la pression des étudiants et l'encouragement
d'un nouveau professeur d'histoire, Herr Pompetzki :
«Mais quoi que pussent penser les élèves de Pompetzki et
de ses théories, sa venue sembla avoir changé du jour au
lendemain toute l'atmosphère de la classe. Jusqu'alors, je
ne m'étais jamais heurté à plus d'animosité que celle que
l'on trouve généralement parmi des garçons de classes
sociales et d'intérêts différents. [...] Mais lorsque j'arrivai
au lycée un matin, j'entendis à travers la porte close de ma
classe le bruit d'une violente discussion. "Les Juifs,
entendis-je, les Juifs." [...] J'allai donc à ma place et fis
semblant de jeter un dernier coup d'œil sur mes devoirs du
soir, à l'exemple de Conrad, qui se donnait un air trop

occupé pour prêter attention à ce qui se passait » (Uhlman, p. 104-105).

En période de crise sociale, l'école, miroir de la société, n'échappe pas à l'intolérance et à la mise à l'écart que le groupe majoritaire peut exercer sur les minorités. Dans *Obasan*, par exemple, les élèves canadiens d'ascendance japonaise seront exclus des écoles de la Colombie-Britannique au cours de la seconde guerre mondiale.

Pour plusieurs marginalisés, en particulier les immigrants et leurs descendants, l'école constitue par ailleurs un pas vers l'intégration et la participation à la société et ouvre à la promotion sociale et au respect. À l'inverse, pour ceux qui sont sous le joug de la colonisation, elle risque de mener à l'assimilation ou à une importante acculturation, comme c'est le cas de Jimmy dans *La rivière sans repos*.

Tout comme l'école, le travail constitue un domaine susceptible de devenir un espace de friction, ou d'échange et d'amitié. C'est aussi une voie d'intégration, mais limitée à certains niveaux de la société ou à certaines classes sociales. En effet, les professions sont réglées par une tradition et par le pouvoir en place. Ainsi quand Black boy voudra apprendre un métier dans le secteur de l'optique, il aura droit à cette seule réponse de ses collègues blancs : « Qu'est-ce que tu cherches ? Tu veux faire le malin, dis donc, moricaud ? [...] Dis donc, le Nègre, tu te prends pour un Blanc, hein ? » (Wright, p. 321).

Il existe donc un certain contrôle sur l'accessibilité aux divers métiers. Certains secteurs sont des chasses gardées et des ghettos d'emplois. Dans *Obasan*, on rapporte que les Canadiens d'origine japonaise sont en grande majorité des pêcheurs ou des fermiers. Ils ne peuvent avoir accès ni aux professions libérales ni à la fonction publique, car ils ne sont pas reconnus comme citoyens canadiens à part entière.

D'une manière générale, les personnages en situation de minorité occupent des emplois subalternes : les femmes font des ménages ou sont domestiques, telles la mère de Richard ainsi que Malika et Elsa ; Mme Rosa est gardienne d'enfants de prostituées. Pour les hommes, la recherche d'emploi semble toujours problématique et, bien souvent, on n'en trouve pas, comme le rapporte le narrateur du *Thé au harem d'Archi Ahmed* : « À l'agence, il fut reçu par un de ces mecs qui aiment le travail bâclé. À peine ouvert le dossier de Madjid : – On n'a rien pour vous, mon vieux ! » (Charef, p. 149). Ou alors le travail offert est aliénant : « Ces boîtes de carton superposées par centaines, tout autour de l'atelier, qui cachaient la lumière du jour, et ces jeunes bossant sans lever la tête, sans se parler, aucune communication, et ces chansons qu'on entendait, toujours les mêmes à chaque tourne-disque essayé, ça faisait beaucoup ! » (Charef, p. 169).

Dans *Les Boucs*, l'auteur explique que la France, par le biais d'agences, recrute de la main-d'œuvre bon marché en Algérie, une ancienne colonie, afin de se constituer une banque de travailleurs pour ses moments d'essor économique. Il dénonce le commerce d'immigrés exercé par le groupe majoritaire. C'est ainsi que Yalann et beaucoup d'autres immigrants, des centaines, voire des milliers d'Algériens, se sont rendus dans le pays colonisateur afin d'y travailler. Mais la désillusion est grande pour ces immigrants qui sont sans emploi de façon presque chronique et qui doivent affronter les fonctionnaires français du bureau de l'assurance-chômage : « Ne reviens plus jamais, hurla-t-il. Il n'y a pas de travail, pas de gîte, pas d'aide, pas de fraternité. Que des plaques de cuivre, des interrogatoires d'identité, des cartes de chômage et des promesses. Rien d'autre » (Chraïbi, p. 114).

Certains personnages réussissent leur intégration économique tels les pères devenus médecins d'Hans et de

Stephen, ou encore professeurs, comme Nomi. Cependant leur place sociale demeure fragile, comme le démontrent *Obasan* et *L'ami retrouvé*.

En période de crise sociale ou politique, malgré les règles implicites et explicites déjà établies, on tente de rejeter l'autre hors des domaines publics qu'on partageait auparavant plus ou moins de bon gré. On pourra le placer en « zone enregistrée », le ghettoïser ou, à la limite, le déporter, comme les Canadiens d'origine japonaise dans *Obasan*. On pourra aussi l'obliger à s'enfuir, comme les Allemands juifs dans *L'ami retrouvé*. Dans un cas comme dans l'autre, ses droits de citoyens, et par conséquent tous ses droits économiques, sociaux et politiques, sont abolis.

Domaines privés

Les domaines privés délimitent l'intimité des uns et des autres. C'est au cœur des espaces intérieurs qu'on peut être « soi-même », à l'abri des regards qui jugent, qui exigent ou qui ne reconnaissent pas. Ainsi, les domaines privés offrent une certaine sécurité affective, une chaleur, un bien-être qu'on ne retrouve pas ou qu'on trouve peu au sein d'une collectivité et dans les domaines publics. Les limites du privé correspondent souvent à la famille et à l'espace domestique mais s'étendent quelquefois à l'espace résidentiel.

Les quartiers et les villages peuvent être à la fois des endroits publics et privés. Publics, parce qu'en principe tous y ont accès ; privés, parce que certains sont des enclos ethniques. Et n'entre pas qui veut, ou du moins pas n'importe quand ni n'importe comment. Dans nos romans, certains membres du groupe majoritaire visitent ceux du groupe minoritaire à des occasions très précises et pour des raisons particulières. L'inverse est vrai aussi, mais à des moments et pour des motifs différents.

Outre l'espace domestique, la famille, la religion et la sexualité sont les domaines privés le plus souvent abordés. Ils constituent des espaces controversés et suscitent de part et d'autre toutes sortes de préjugés. Et pour un observateur ignorant la culture de l'autre, leur intimité équivaut bien souvent à un mystère. On peut ainsi imaginer et fantasmer sur les comportements et les pratiques culturelles, la sexualité, par exemple, où le dominant se représente les diverses figures et prouesses sexuelles du dominé.

Pour les personnages appartenant à la norme, l'univers du privé s'articule relativement bien avec l'univers du public, car on y reproduit sensiblement les mêmes règles du jeu et les mêmes valeurs. Par contre, pour les personnages en marge, particulièrement les immigrants, on remarque une rupture ou une contradiction entre le monde public, auquel ils ne sont pas totalement intégrés, et le monde privé. Cette contradiction oblige bien souvent à se redéfinir tant sur le plan personnel que par rapport à sa communauté culturelle.

Le groupe majoritaire diffuse et, à la limite, impose ses lois, son ordre et sa façon de voir et de faire dans les divers domaines privés. C'est par le biais du travailleur social, du policier ou du prêtre — dont le but est sensiblement le même : remettre sur le bon chemin (social ou religieux) les esprits égarés et non intégrés socialement ou culturellement à la société ou non acculturés — que le groupe majoritaire exerce une surveillance sur l'autre. Ce contrôle est accepté, et même valorisé par la norme sociopolitique, pour qui l'acculturation de l'autre doit passer forcément par sa maîtrise. Ainsi, le policier de Fort Chimo dans *La rivière sans repos*, oblige le fils d'Elsa à fréquenter l'école en évoquant la loi de l'instruction publique du pays colonisateur.

Dans le même roman, tout comme dans *Là où dansent les morts*, le monde allochtone, c'est-à-dire le groupe dominant, rencontre le monde autochtone par le biais de ses points de contact les plus typiques dans la réalité : les archéologues, les policiers et les missionnaires. Ces derniers offrent toutefois une image de personnages charnières, car en côtoyant les autochtones, ils apprennent leurs façons de faire, de parler et de penser. Ainsi le père Ingles, dans *Là où dansent les morts*, connaît aussi bien la langue navajo que plusieurs comportements culturels du groupe. Il en connaît également beaucoup tant sur les mythologies que sur les religions zuñies et navajos. Il deviendra pour Leaphorn un informateur précieux concernant la religion zuñie.

Du côté du groupe minoritaire, on s'infiltre dans les domaines privés de la société dominante par la servitude, la mendicité, la prostitution, ou le vol, comme le raconte Richard dans *Black boy* : « J'ai toujours aimé me trouver dans la cuisine des Blancs quand ma mère faisait la cuisine, car je recevais à l'occasion des restes de pain ou de viande... [...] Je savais que les jeunes Négresses employées dans des familles blanches volaient journellement de la nourriture pour augmenter leurs maigres gages » (Wright, p. 39 et 341).

Autrement le domicile demeure très privé. L'étranger ou l'indésirable n'y est jamais invité, sauf en tant que domestique ou gardien d'enfants. C'est un territoire jalousement gardé, difficilement accessible même lorsqu'il existe une certaine amitié, comme entre Hans et Conrad dans *L'ami retrouvé* : « De temps à autre, j'attendais une minute ou deux, regardant fixement à travers les barreaux de fer, espérant que, par miracle, la porte s'ouvrirait de nouveau et qu'il reparaîtrait pour me faire signe d'entrer. Mais cela n'arrivait jamais et la porte était aussi menaçante que les deux griffons qui, cruels et impitoyables, abaissaient sur moi leur regard, leurs griffes aiguës et leur langue délitée en forme de faucille prêtes à m'arracher le cœur » (Uhlman, p. 80). Toutefois, en l'absence des parents de Conrad, les deux amis se rencontreront dans la chambre de ce dernier, seul lieu à l'abri des regards désapprobateurs.

La sexualité est omniprésente dans nos romans, à l'exception du *Souffle de l'harmattan* et du roman policier *Là où dansent les morts*, où elle est fortement diluée et remplacée par l'affection, l'admiration, la protection mutuelle. Ainsi les rapports sexuels « interculturels » constituent un thème auquel on fait constamment allusion sans jamais le traiter en profondeur ni l'aborder de front, comme s'il était tabou tant pour les auteurs que pour leurs personnages.

Espace intimiste par excellence, la sexualité et ses manifestations apparaissent énigmatiques et peu ouvertes aux uns et aux autres. Tout comme la religion, elle est pour la relation interculturelle un important défi de communication ainsi qu'une zone décisive pour rejoindre l'autre en dehors des contraintes sociales et à l'abri des regards normatifs. Dans les romans aussi bien que dans la réalité, elle est source de tensions et suscite généralement de l'incompréhension. Le pouvoir, l'imaginaire, la lutte et la convoitise sont à l'œuvre dans ce domaine controversé et ambigu.

Le pouvoir « sexuel » présente deux figures. Dans un certain nombre de cas, il empruntera celle du pouvoir des dominants sur les dominés, ou de la majorité sur la minorité. Ainsi, par le biais des femmes de l'autre, on peut avoir une emprise sur lui, on peut le rencontrer et se mesurer à lui. Le narrateur de *Black boy* raconte que les Blancs peuvent avoir des relations sexuelles avec des femmes noires, mais que l'inverse, des Noirs avec des Blanches, expose au lynchage.

Dans d'autres cas, le pouvoir sexuel sera celui des hommes sur les femmes quelle que soit leur origine ethnique. Par exemple, dans *Le thé au harem d'Archi Ahmed*, Pat et Madjid, respectivement français et algérien de naissance, sont complices dans la drague. Ils incitent Solange, une voisine monoparentale, à se prostituer dans la cabane des travailleurs immigrés. Ils reconnaissent que «c'est payant, la misère sexuelle des travailleurs immigrés! En un rien de temps, on ramasse une poignée de fric» (Charef, p. 79). Les deux compagnons se retrouvent en position de dominant à la fois face à Solange et aux travailleurs immigrés. Dans *La vie devant soi*, même le jeune Momo entrevoit un avenir dans le domaine de la sexualité, comme maquereau.

Les femmes, plus souvent qu'autrement, sont considérées comme des objets sexuels qu'on peut mépriser ou exploiter, contre rémunération sinon gratuitement, pour son propre plaisir. Elsa, la jeune Inuit de *La rivière sans repos* qui «avait peu pour plaire au jeune soldat du Sud» (Roy, p. 125), se fera violer, en échange de quelques billets, par un GI américain; et Kathleen, de *À la poursuite des Slans*, est considérée principalement comme un objet par des non-Slans.

Il apparaît aisément que les relations interculturelles sont traversées par un rapport de force entre des hommes issus du groupe soit majoritaire ou minoritaire et des femmes en position marginale qui se retrouvent ainsi doublement dominées et exclues.

La dimension imaginaire de la sexualité donne lieu à plusieurs préjugés et fantasmes, où l'on attribue à l'autre des prouesses sexuelles et des qualités exceptionnelles. Le sexe et les organes génitaux deviennent objets de fantasme ou d'envie pour les uns, symboles de pouvoir pour les autres. Par exemple, Richard, dans *Black boy*, évoque les conversations de ses amis qui, dit-il, parlent «avec vantardise de leurs performances sexuelles» (Wright, p. 146), et, dans *Le thé au harem d'Archi Ahmed*, Pat et Madjid accordent beaucoup d'importance à la grosseur de «leur bite» (Charef, p. 55).

La sexualité est un lieu fertile de fabulation et de curiosité. Comment la vit-on? Ceux qui ont tendance à animaliser l'autre, dans un contexte raciste par exemple, croient que ce dernier a des pratiques sexuelles barbares. Bien souvent, on dira qu'il ne pense qu'à ça, ne fait que ça. C'est pourquoi le viol, par exemple, devient tout à fait justifiable parce qu'il serait, dit-on, dans les mœurs culturelles ou dans la nature même de la femme lorsqu'elle est d'un groupe ethnique différent.

On imaginera facilement que l'autre est bien équipé ou qu'il est précoce, comme le décrit Momo dans *La vie devant soi* : « J'allais sur mes dix ans, j'avais même des troubles de précocité parce que les Arabes bandent toujours les premiers » (Gary, p. 22). C'est pourquoi cet autre, que l'on considère en même temps comme inférieur, devient malgré lui un rival. Il a le potentiel sexuel, ou du moins le croit-on, pour attirer les femmes de son groupe et leur procurer du plaisir. Ainsi les hommes se mobilisent sous prétexte de protéger leurs femmes du fléau qu'est l'autre. Dans *Black boy*, l'auteur rapporte ce que les journaux du Ku Klux Klan proclament à ce sujet : « Le seul rêve du nègre est de devenir président des États-Unis et de coucher avec des Blanches ! Américains, permettrez-vous ce sacrilège dans notre beau pays ? Organisons-nous et sauvons la femme blanche de la dégradation » (Wright, p. 224).

Dans les rapports d'altérité, la concurrence sexuelle est féroce. On n'admet pas qu'on puisse partager « ses » femmes avec des étrangers : « Ils [Madjid et Pelletier] se sont déjà presque battus, à propos de la fille Pelletier. [...] Pas de graine d'Arabe, surtout ! » (Charef, p. 24).

L'espace sexuel permet aux uns de rencontrer les autres sans pour autant s'en rapprocher, s'engager dans une relation ou communiquer. On couchera avec les femmes de l'autre, sans nécessairement les fréquenter et encore moins les épouser. Dans *À la poursuite des Slans*, Kathleen Layton, une Slan, est emprisonnée par les humains pour servir d'objet d'étude, mais elle deviendra aussi un objet de convoitise sexuelle. On la désire, on veut l'embrasser, on l'attaque sexuellement, on veut en faire secrètement sa maîtresse, comme le souligne Jem Lorry, un humain pourtant très anti-Slan : « Toute la question est de savoir comment je puis devenir votre amant sans encourir le risque d'être accusé de sympathiser avec les Slans ? » (Van Vogt, p. 82).

La mixité des rapports sexuels effraie et constitue un interdit social de taille. Elle soulève l'épineuse question de l'acculturation et du métissage bien souvent perçus comme des mélanges qui soulèvent d'énormes résistances. C'est pourquoi lorsqu'il s'agit de maintenir une distance entre soi et l'autre, la pression sociale semble généralement assez forte pour faire respecter l'interdiction de rapports sexuels entre les groupes. Dans les États racistes, où tous les domaines de rencontre sont régis par des lois, la sexualité n'y échappe pas. C'est ainsi qu'on retrouve, sous le régime nazi, des lois interdisant les échanges sexuels entre Allemands et juifs allemands.

Pour l'anthropologue Selim Abou, les tensions reliées à l'affectivité donnent naissance à des comportements sexuels particuliers qui agissent comme palliatifs à différentes situations interethniques difficiles. Par exemple, pour celui qui traverse une période de chaos culturel ou qui souffre d'un manque de reconnaissance sociale, la sexualité peut devenir une évasion ou une forme de sécurité, et c'est ce qu'explique le narrateur du *Thé au harem d'Archi Ahmed* : « Dans la médiocrité, faut être le moins médiocre. Sauter la femme du voisin, c'est se croire moins con que lui, puisqu'on lui pique sa bergère. Et plaire, c'est se dire qu'on mérite mieux que ce qu'on a et qu'on est digne d'une autre vie. Les sentiments ? Que dalle ! C'est plutôt fuir le désespoir et chercher à croire en quelque chose par n'importe quel moyen, avec ce qui ressemble à une sécurité sûre : un trou avec du poil autour » (Charef, p. 61).

Ou encore, toujours dans le même roman, les comportements sexuels des mis à l'écart servent à combler un vide psychologique ou tout simplement à combattre l'ennui : « Ils [Pat et Madjid] se rincent l'œil pour tuer le temps...
– Ça me donne envie de baiser, dit Pat. J'ai la barre à mine.
– On rentre, dit Madjid, on va se taper Joséphine » (Charef, p. 108).

Enfin on peut choisir un partenaire sexuel du groupe valorisé ou dominant afin de se faire reconnaître et accepter par lui. Pour ceux qui sont au bas de l'échelle sociale, l'union mixte est un moyen d'ascension ou d'intégration sociale. C'est le cas de Yalann, dans *Les Boucs*. Au cours de son processus d'adaptation à la société d'accueil, il tente de vivre une relation amoureuse avec Simone, une Française, et cette union se révélera un échec, tout comme son rapport à l'ensemble de la société. « Notre commerce [celui des immigrés arabes] avec la société française s'exprimait sous forme d'injures, ou de vols, ou de coups de poing, nous mangions dormions marchions voyions écoutions vivions... avec révolte et haine — et ce n'était pas autrement que j'aimais Simone, même mon sperme giclait haineux. [...] je fleurais la colère et elle sentait la peur. Et ce fut dans ces odeurs-là [...] — mais elle suait la colère et c'était moi qui suais la peur — que nous nous étreignîmes » (Chraïbi, p. 19 et 73).

Si pour s'éloigner de l'autre on doit maintenir une distance non seulement territoriale mais aussi sexuelle, à l'inverse, si l'on veut s'en rapprocher, il faut réduire l'écart sexuel, transgresser des interdits sociaux et reconnaître la sexualité comme domaine possible de partage.

Il en est de même pour l'espace religieux qui occupe dans nos romans une place de choix. Dans tous les récits étudiés, la religion est présentée comme le point d'ancrage de l'identité ethnique d'un groupe, si bien que certains personnages désireux de devenir autrui en s'appropriant la culture de l'autre doivent pénétrer le domaine religieux. Ainsi les principales tentatives d'acculturation que nous retrouvons dans la littérature romanesque passent par le domaine religieux. La tâche est immense et complexe, car non seulement faut-il apprendre des éléments de base comme les rituels religieux, il faut encore être « initié ». George, un Navajo, tentera de devenir zuñi; il apprend un chant rituel zuñi, essaie d'avoir des visions et de devenir sorcier, il recherche les kachinas, fabrique des offrandes et assiste aux cérémonies de Shalako. Pourtant non seulement il n'atteindra jamais son but, mais il mourra. « Quel que soit son désir de devenir Zuñi, de rejoindre le Clan du Blaireau, celui-là même du Dieu du Feu, George n'en n'était pas moins un Navajo. Il n'avait pas été initié, n'avait pas connu le moment où l'ombre du masque vous domine, ni vu à travers les yeux de l'esprit kachina. Et c'était pour ça qu'il y avait des tas de choses que George n'était pas autorisé à savoir et, pensa sans joie le Dieu du Feu, il avait peut-être révélé à George certaines de ces choses » (Hillerman, p. 13).

Dans *Le souffle de l'harmattan*, Hugues s'intéresse à la religion animiste d'Habéké, mais hors de son contexte culturel celle-ci apparaît primitive. Seul *Là où dansent les morts* aborde le domaine religieux sous un angle anthropologique, c'est-à-dire en expliquant ses différents aspects tout en les replaçant dans leur contexte culturel. Hillerman décrit longuement la préparation, les cérémonies et les rituels des fêtes de Shalako chez les Zuñis ainsi que certains rituels religieux des Navajos. Dans ce roman, les religions autochtones semblent bien vivantes, s'exprimant quotidiennement par de multiples détails, alors que la religion des Blancs n'intervient et ne se pratique qu'à certains moments, le dimanche par exemple, et paraît insuffisante à ceux qui recherchent la convivialité.

La religion sert ici de trame de fond au récit. Objet de la quête désespérée de George (et cause de l'entraînement physique intensif de son ami Ernesto), et prétexte à sa mort, elle sera la cause très réelle de la mort de l'archéologue qui a commis le sacrilège d'imiter un masque de kachina.

Dans le cas où ce n'est pas l'individu qui tente de s'acculturer, mais la société qui vise à dominer l'autre en l'acculturant, par exemple dans un contexte colonial, la religion sert aussi de voie de pénétration du groupe dominant dans le groupe dominé. Dans le roman de Gabrielle Roy, les non-autochtones passent entre autres par les missionnaires pour acculturer les Inuits. Il en est de même dans la réalité ; dans l'histoire, les missionnaires ont été très actifs dans la colonisation de divers peuples. Encore aujourd'hui, dans certaines situations interculturelles, il est fréquent que le dominant impose sa religion au dominé, ou qu'il lui interdise de pratiquer la sienne.

Lorsqu'on tente au contraire de respecter l'identité ethnique de l'autre, on favorisera par la même occasion la pratique de sa propre religion. Par exemple, dans *La vie devant soi*, Mme Rosa incitera Momo à se familiariser avec le monde musulman : « Il [M. Hamil] me faisait lire le Koran, car Mme Rosa disait que c'était bon pour les Arabes » (Gary, p. 40).

Dans les romans étudiés, la religion a un caractère très intime, secret et privé. Ce qui a trait à la religion ne peut jamais être exposé à un étranger de peur que celui-ci ne l'interprète mal, ou qu'il se moque ou manifeste du mépris. Dans *Là où dansent les morts*, s'étant aperçus que les étrangers qui assistent à leurs cérémonies religieuses y viennent comme à un spectacle de foire, les Zuñis cesseront de répondre aux questions des anthropologues ou leur livreront de fausses informations. Pas plus que les autres membres de son groupe culturel, Pasquaanti, le policier zuñi, n'aime parler de sa religion, de peur que les Navajos se moquent de lui. En attaquant la religion, en effet, on s'en prend aussi à celui qui la pratique, à tout son être, à son identité. C'est pourquoi, lorsqu'il s'agit de religion, certains personnages, tel Pasquaanti, sont très prudents : « Ça devait avoir un rapport avec la religion Zuñi. Avant d'ouvrir la bouche Pasquaanti prenait le temps de décider de ce qu'il voulait qu'ils [les policiers non zuñis] sachent exactement » (Hillerman, p. 22).

Discuter de la religion est une preuve d'amitié pour Hans et Conrad dans *L'ami retrouvé* : « Presque chaque jour, nous discutions à ce sujet [la religion], parcourant solennellement les rues de Stuttgart... » (Uhlman, p. 53).

La religion est donc présentée comme une marque à la fois de différence culturelle et d'identité ethnique. Qu'un personnage la pratique ou non, elle peut constituer un élément symbolique de son identité. Dans *L'ami retrouvé*, certains Allemands voient la religion juive comme un symbole ou une marque d'identité raciale qui servira de prétexte pour l'enfermement ou l'expulsion des personnes pratiquant ou non le judaïsme, mais pour Hans et sa famille, le judaïsme constitue une tradition culturelle plutôt qu'une marque d'identité : « C'est ainsi que j'avais grandi parmi les juifs et les chrétiens, laissé à moi-même et à mes idées personnelles sur Dieu, sans croire absolument — ni douter sérieusement — qu'il existât un être supérieur et bienveillant, que notre monde était le centre de l'univers, et que nous étions, juifs et gentils, les enfants préférés de Dieu. [...] être juif n'avait fondamentalement pas plus d'importance qu'être né avec des cheveux bruns et non avec des cheveux roux » (Uhlman, p. 48 et 64).

Les romans laissent sous-entendre qu'il faut passer par le domaine religieux pour devenir l'autre tel que le souhaitent George et Hugues ou que le craint la mère de Conrad à propos de son fils. Il en est de même pour connaître l'autre, comme Conrad et le père Ingles s'y appliquent, ou pour l'acculturer, tel que le pratiquent les missionnaires chez les Inuits ou chez les Algériens. La religion est un domaine de tensions qui favorise à la fois la pénétration de l'un chez l'autre, mais qui pour cette même raison fait éclater les relations. Dans *Le souffle de l'harmattan*, Hugues et Habéké s'aiment tellement qu'ils iront jusqu'à se «marier», toutefois ce sera à propos d'une question religieuse qu'ils auront leur plus importante dispute.

La religion peut constituer un blocage, ou du moins une limite, aux relations interculturelles, comme le suppose Hans dans *L'ami retrouvé*: «Peut-être avait-il parlé de moi à ses parents et lui avaient-ils conseillé de ne pas se lier d'amitié avec un Juif?» (Uhlman, p. 40). Elle peut aussi représenter quelque chose d'insurmontable, comme le dit M. Hamil, de religion musulmane, dans *La vie devant soi*: «[...] je ne pourrais pas épouser une Juive, même si j'étais encore capable de faire une chose pareille» (Gary, p. 140).

Chapitre 7

Les rapports affectifs, cognitifs et sociaux

La littérature est un lieu privilégié pour voir à l'œuvre les sentiments liés aux rapports d'altérité, les connaissances que nous avons les uns des autres, et la dynamique des relations sociales.

Face aux différences de perception, de comportement et de valeurs, chaque groupe et chacun de ses membres a une série de réactions et d'émotions qui mènent à des jugements, à des attitudes et à des pratiques personnelles ou collectives particulières. L'intérêt des romans analysés est de rendre compte des rapports d'altérité sous toutes ses formes et dans le menu détail, du simple regard à la pratique institutionnelle. La sensibilité des personnages qu'on a écartés, racisés, dominés, humiliés, apparaît ainsi plus clairement.

La coexistence de groupes culturels et la communication entre eux ne sont possibles que si certaines conditions favorables à la réciprocité sont remplies. Ces préalables relèvent à la fois de l'ordre affectif (respect de l'autre comme être culturel), de l'ordre social (égalité des droits) et de l'ordre cognitif (connaissance de l'autre). Dans l'univers du roman, pour les personnages charnières, la rencontre interculturelle — celle qui favorise la communication — est enrichissante tant sur le plan affectif que social, menant de l'amitié à la compréhension et au respect de la différence. Tous sont à la recherche d'une amitié profonde et sincère, voire absolue, avec des membres de l'autre groupe, et chacun des acteurs positivement engagés dans les relations interculturelles exprime à sa manière des sentiments d'affection, de sympathie et de bienveillance envers l'autre. Pour les personnages verrous et institutionnels, la relation interculturelle est plus négative. Là, les rapports d'altérité signifient tensions, inégalités sociales et difficultés de communication.

Néanmoins, quelle qu'en soit la nature — de très positive à très négative —, la relation interculturelle ne semble jamais aller de soi ; elle est ponctuée d'écueils, nombreux mais surmontables. Certains sont dus à la méconnaissance ou à des maladresses dans la communication ; d'autres relèvent de l'imaginaire, du fantasme ou de la peur presque obsessive de la différence.

Les rapports cognitifs déterminent la qualité des relations interculturelles. Ils témoignent de la conception que chacun se fait de la différence et de l'altérité. Notre système cognitif tourne autour de trois principales questions : Que sait-on sur l'autre ? D'où viennent nos connaissances ? À quoi servent-elles ? La méconnaissance et la perception qu'on a de l'autre, par exemple quand on l'infantilise, l'infériorise ou l'animalise, constitue un blocage considérable dans l'établissement d'une relation harmonieuse et dans la recherche de rapports égalitaires. La non-rencontre interculturelle — celle qui mène au rejet — peut faire naître de nombreuses tensions et soulever chez l'un et l'autre groupe ressentiment et frustration pouvant conduire à l'agressivité, à l'hostilité et à la discrimination, voire à l'extermination du groupe.

L'évolution d'une relation est parsemée d'embûches. Par exemple, dans *L'ami retrouvé*, Hans et Conrad se lient d'une grande amitié, qui échappe pourtant difficilement aux préjugés de la mère de Conrad et aux railleries de ses condisciples. Leur amitié est régulièrement menacée par toutes sortes d'interdits, notamment par le fait que Hans ne peut jamais entrer dans la maison de son ami ou qu'il ne peut lui adresser la parole ni en public ni en présence de ses parents.

La pression sociale constitue une limite importante au développement d'une relation entre individus de groupes ethniques différents. Toujours dans *L'ami retrouvé*, la liaison de Hans et de Conrad sera court-circuitée non seulement par leur nouveau professeur d'histoire, dont les propos contre les juifs marqueront toute la classe, mais aussi par tout le système politique nazi qui à cette époque s'enracine en Allemagne.

Les rapports sociaux occupent une place privilégiée dans les romans. Ils sont l'expression collective des sentiments et de l'idéologie d'une communauté. On peut les regrouper sous quatre catégories. Il y a d'abord la création d'une distance entre nous et les autres, et cette distance atteste une fermeture, ou au contraire une ouverture du groupe majoritaire au groupe minoritaire. D'une manière générale, les romans rendent compte de différentes actions, tels l'exclusion, l'évitement et le rejet, qui témoignent d'une fermeture et contribuent à éloigner les autres. On trouve en revanche peu de descriptions d'actions collectives allant dans le sens de l'ouverture et de l'accueil d'une société qui pourraient se manifester par exemple chez les personnages institutionnels. C'est sur le plan individuel que s'exprime le plus souvent cette ouverture, par exemple par l'amitié et le partage de certains domaines de rencontre.

L'actualisation de la distance entre nous et les autres, qui constitue la deuxième catégorie dans les rapports sociaux, prend la forme d'échanges verbaux et physiques violents, allant de l'ironie à l'agression. Ou bien, au contraire, de propos tolérants et compréhensifs.

La troisième catégorie comprend certaines actions des uns vis-à-vis des autres, qui servent, elles, à maintenir, amplifier ou réduire la distance entre nous et les autres. Les romans analysés ont tendance à décrire et surtout à dénoncer les inégalités sociales, telles la ségrégation et la discrimination, dans un contexte où il y a un dominant et un dominé. L'intégration semble faire partie des rêves et des défis qu'une société se donne.

La dernière catégorie est celle de l'utilisation de la distance pour situer socialement les uns par rapport aux autres. La domination et l'exploitation en tant que manifestations ouvertes du rapport de pouvoir sont à la fois décrites et dénoncées par les différents personnages de nos romans.

Les sentiments des uns et des autres

La perception de l'autre et l'action à son égard impliquent une charge émotive qui, comme on le lit dans *Black boy*, «résonne» dans tous les autres aspects des rapports d'altérité : «La guerre elle-même m'avait paru irréelle, mais tout ce qui concernait les luttes raciales, chaque allusion, chaque chuchotement, parole, inflexion de voix, nouvelle, racontar ou rumeur trouvait en moi une résonance affective. Rien ne mettait autant au défi toutes les forces de mon être que cette pression de haine et de menace qui émanait des Blancs invisibles» (Wright, p. 127). Les romans comportent un aspect intime qui laisse aux personnages le soin d'exprimer leurs sentiments et leurs contradictions. Quelles que soient la qualité et la durée de la rencontre interculturelle, celle-ci

s'accompagne toujours de sentiments, parfois à peine for-
mulés, parfois profondément sentis.

Certains sentiments surgissent à la suite d'une incompréhension passagère entre individus de groupes culturels
différents. *Là où dansent les morts* illustre abondamment les
sentiments passagers provoqués par la relation interculu-
relle. En général, dans les récits étudiés, les personnages
charnières éprouvent une gamme de sentiments allant du
négatif au positif, de la colère à l'hostilité, de la sollicitude
à l'amitié, mais, à la différence des personnages verrous ou
institutionnels, leurs sentiments négatifs sont passagers et
peu violents, sans rancune, rancœur ou haine.

Parce qu'elle nous plonge dans l'inconnu, dans l'incompréhension, dans la confrontation, la situation interculturelle
donne naissance à des sentiments d'insécurité, de malaise,
qui sont des réactions tout à fait «humaines» et largement
partagées par la communauté universelle. Mais la rencontre
des différences peut en outre s'accompagner de sentiments
agressifs concrétisés en actions violentes, attaques physiques,
discrimination, et parfois mort de l'autre.

La peur est le moteur de plusieurs comportements tant
chez les membres du groupe majoritaire que chez ceux des
groupes minoritaires. Pour les uns, elle suscite une réaction
de défense, pour les autres, elle est prétexte à une attaque.
Toute forme d'altérité provoque en fait trois types de peur.
La peur de l'inconnu, d'abord, est reliée à l'hétérophobie.
C'est celle qu'éprouve Leaphorn, le policier navajo, dans *Là
où dansent les morts*: une peur incontrôlée face aux représentations des dieux zuñis et des kachinas. La peur d'être jugé
et rejeté, ensuite, qui est celle de Madjid dans *Le thé au
harem d'Archi Ahmed*. Enfant du ghetto, il «n'ose pas regarder» du côté des HLM avoisinants, de peur d'être vu par
un camarade de classe qui, bien au chaud, peut le juger et le
mépriser (Charef, p. 119). De même, dans *L'ami retrouvé*,

Hans a peur d'être blessé et rejeté par Conrad : «Qu'avait-il, lui, Conrad von Hohenfels, de commun avec moi, Hans Schwarz, dépourvu d'assurance et de grâce mondaine?» (Uhlman, p. 22). Enfin, la peur d'être agressé et anéanti est exprimée par Richard dans *Black boy*: «Une terreur permanente des Blancs finit par venir habiter mes sentiments et mon imagination» (Wright, p. 126).

Outre la peur de la différence, du rejet et de l'agression, les uns craignent une éventuelle perte de privilèges sociaux ou économiques, les autres souffrent de l'impuissance devant l'injustice. Dans *La vie devant soi*, Momo «n'a pas une tête de chez lui» et n'a pas de lien de complicité avec la société française. Il croit qu'il pourrait être «repéré» facilement par la police française. Il est souvent craintif. Pour combattre cette peur qu'il ne comprend pas, il rêve de devenir policier, symbole à la fois d'autorité et d'intégration à la société: «Il y a des moments où je rêve d'être flic et ne plus avoir peur de rien et de personne» (Gary, p. 34). Cette même police, qui l'a jadis dénoncée aux nazis, effraie toutefois Mme Rosa: «[Elle] en avait plusieurs [certificats de naissance] à la maison et elle pouvait même prouver qu'elle n'a jamais été juive depuis plusieurs générations, si la police faisait des perquisitions pour la trouver. Elle s'était protégée de tous les côtés depuis qu'elle avait été saisie à l'improviste par la police française qui fournissait les Allemands et placée dans un Vélodrome pour Juifs. Après on l'a transportée dans un foyer juif en Allemagne où on les brûlait. Elle avait tout le temps peur, mais pas comme tout le monde, elle avait encore plus peur que ça» (Gary, p. 35).

L'inconnu, souvent l'autre, suscite de la peur parce qu'il fait peser une menace imaginaire ou réelle sur soi. Dans *Le thé au harem d'Archi Ahmed*, «la peur règne dans la cité. On se la refile, vu qu'on a rien d'autre à se donner et qu'on n'en veut pas. Surtout pas. Il paraît plus facile de se faire peur et de faire peur aux autres, en restant cloîtré chez soi avec un berger allemand à ses pieds, que de sortir au-devant des gens pour se comprendre et les comprendre. La crainte domine la cité et ses habitants» (Charef, p. 23). C'est une peur qui vient à la fois de l'appréhension de l'autre, qu'il soit jeune ou vieux, femme ou homme, Fran-çais ou Arabe, et du désespoir inhérent à la cité et à ses dif-ficiles conditions de vie ou son avenir bouché.

À l'opposé, il y a l'assurance de ceux qui sont en pleine possession de leurs moyens et qui savent qu'ils ont une place dans la société. La confiance des Blancs américains dans *Black boy*, de Conrad, un aristocrate allemand, dans *L'ami re-trouvé*, du voisin canadien de Nomi dans *Obasan*, de Nadine, Française de classe moyenne, dans *La vie devant soi*, s'oppose à la peur qu'éprouvent les Noirs américains, Hans, Nomi, Momo et Mme Rosa.

La peur prend souvent la forme de l'hostilité. Dans *Black boy*, l'hostilité fait partie d'un complexe de sentiments «raciaux» qui opposent les Blancs aux Noirs. Comme le fait remarquer le narrateur, «la pierre de touche de notre frater-nité était l'hostilité ressentie à l'égard des Blancs et le degré de valeur assigné à la race» (Wright, p. 135). Dans *Le thé au harem d'Archi Ahmed*, l'hostilité se manifeste entre gens de groupes d'appartenance différente. Ainsi les gens de la ville (Paris) sont hostiles à ceux de la cité (banlieue) qui, à leur tour, le sont entre eux : les hommes aux femmes, les vieux aux jeunes. Et en particulier, les hommes français aux jeunes de diverses origines ethniques qui se lancent mutuellement des «regards méprisants». Et ces situations sont potentiel-lement explosives : «Comme le dit Pat, un jour ce sera la guerre entre les parents et les jeunes de la cité, une guerre à mort. Le cauchemar» (Charef, p. 26).

Pour certains, il est rassurant de trouver un plus dému-ni que soi sur qui déverser son désespoir. Pour d'autres, en particulier les personnages charnières tels que les jeunes et les femmes de la cité, la complicité et la bienveillance des uns envers les autres deviennent des stratégies de survie entre des murs de béton, comme l'évoque le commentaire de l'éditeur du roman : « La tendresse, l'amitié, quelques rires : ce sont les seules lueurs dans une existence vouée à l'échec.» Malika s'occupera de Josette, d'Élise Levesque et des enfants, Madjid prendra soin de Farid et de bien d'autres, par exemple de Solange, à qui il offrira sa part d'argent gagné à jouer au maquereau : « Ben quoi ! On va pas la laisser crever, quand même, non ? » (Charef, p. 81), répliquera-t-il à son ami Pat peu enclin à partager.

Dans *Là où dansent les morts*, l'hostilité entre personnages appartenant à des groupes ethniques différents traduit leur antipathie mutuelle, comme le rapporte un jeune Navajo : « Pas d'amis à l'école, dit Cecil. Ce sont des Zuñis. Il jeta un coup d'œil à Leaphorn pour voir s'il comprenait. – Ils n'aiment pas les Navajos, précisa-t-il. Ils n'arrêtent pas de raconter des histoires sur nous. Des histoires qui nous font passer pour des idiots » (Hillerman, p. 35). Bien sûr que Leaphorn comprend puisqu'il éprouve lui aussi ce sentiment «illogique» qu'il ressent d'une manière passagère : « Est-ce qu'une mouche zuñi daignerait avancer sur une peau navajo ? Leaphorn regretta immédiatement cette pensée. Elle le ramenait à l'hostilité illogique contre laquelle il avait lutté toute la matinée... » (Hillerman, p. 16).

La haine, généralement présente chez les personnages racistes, est associée à des comportements violents (coups, meurtres...). Mais elle peut aussi naître chez des personnages infériorisés qui, victimes de racisme, ont peu de moyens pour l'exprimer, comme le déclare un jeune Noir dans *Black boy* : « Je hais les Blancs, je les hais de toutes mes forces. Mais je ne peux pas le montrer, sans ça ils me tueraient » (Wright, p. 317).

En revanche, aucune passion amoureuse n'est décrite dans les romans retenus. L'amour n'y apparaît que sous forme de tendresse et d'attachement entre personnages complices, tels Madjid et Pat, sous forme d'entraide, comme pour Josette et la mère de Madjid, ou encore d'amitié, comme entre Hugues et Habéké.

Dans la cité du *Thé au harem d'Archi Ahmed*, le désespoir se manifeste de plusieurs façons. Pour les uns, c'est la drogue, pour d'autres le suicide, pour d'autres encore le vol, les filles qu'on saute, l'école qu'on abandonne. Même entremêlé d'espoir, ce désespoir conduit à l'autodestruction et à la violence : «Faut surtout pas chialer, parce que la faiblesse est alors reconnue, citée, criée, répandue. [...]. Emmagasiner encore et toujours en attendant, avec l'espoir peut-être de se réconcilier avec soi-même et avec la vie. [...] Contre l'autodestruction, le silence, c'est la violence qui prend le dessus et on devient irrécupérable. On ne se remet pas du béton. [...] Ça chante pas le béton, ça hurle au désespoir comme les loups dans la forêt, les pattes dans la neige, et qui n'ont même plus la force de creuser un trou pour y mourir» (Charef, p. 62-63).

Le mépris est omniprésent et fortement dénoncé dans les romans qui traitent des relations interculturelles xénophobes ou racistes. On méprise ceux que l'on considère comme inférieurs culturellement ou socialement ou, dans des cas plus rares, ceux qui dominent et qui ne reconnaissent pas l'autre. Dans *Là où dansent les morts*, les policiers fédéraux méprisent leurs homologues régionaux. Une fois les fédéraux partis, Blancs et autochtones se mettent à blaguer, à se moquer, et l'on sent la solidarité régionale face à l'insulte fédérale. Dans le même roman, la plupart des Blancs, Hasley, Cheveux noués, Reynolds et les autres, à un moment ou l'autre de leurs relations, semblent vouloir défier le policier navajo Leaphorn.

Le mépris sert à maintenir une barrière, une distance entre nous et les autres. C'est le sentiment moteur des actions pour discréditer autrui, pour le violenter, pour le rejeter, pour l'exclure, pour le mettre à l'écart, comme en témoigne Emily dans *Obasan* : « Nous sommes les méprisés à qui on a arraché la voix, à qui on a pris l'auto, la radio, l'appareil photo et tout moyen de communication, nous sommes un wagon complet d'yeux recouverts de boue et de crachat » (Kogawa, p. 168). À l'inverse, le respect de l'autre est présenté comme une condition nécessaire aux relations harmonieuses. C'est une valeur peu répandue mais que l'on retrouve, notamment, chez Mme Rosa et chez d'autres personnages de *La vie devant soi*. Dans *Là où dansent les morts*, le policier navajo admire l'ingéniosité technique des Zuñis et l'harmonie que leur procure la religion, et il respecte leur discrétion.

Les opprimés éprouvent un sentiment d'impuissance devant leur situation sociale, économique et politique. Ainsi Black boy raconte : « [...] j'en étais arrivé au sentiment qu'il existait des hommes contre lesquels j'étais impuissant, des hommes qui pouvaient violer ma vie selon leur bon plaisir. [...] je me sentais complètement désarmé devant cette menace qui pouvait s'abattre sur moi à n'importe quel moment, et parce qu'il n'existait à ma connaissance aucun moyen d'action capable de me sauver si j'avais dû affronter une foule de lyncheurs blancs » (Wright, p. 128).

Dans *Le thé au harem d'Archi Ahmed*, l'impuissance devant des situations sans issue est maintes fois exprimée et conduit certains personnages au suicide : « C'est Naïma, la frangine de Farid, dit Madjid. Tu sais, celle qui sortait plus parce qu'elle était enceinte ! Ah ! ouais. Elle en avait marre de se faire tabasser par la famille, elle s'est jetée par la fenêtre » (Charef, p. 157). Par contre, dans le cas des Blancs, dans *Black boy* par exemple, le sentiment de puissance est ressenti par les personnages qui détiennent le pouvoir d'écraser, de mépriser ou de rejeter l'autre.

L'amertume est principalement ressentie par les personnages qui ont subi des affronts de la part du pays qu'ils croyaient le leur. C'est le cas d'Emily et de ses compatriotes canadiens d'origine japonaise établis au Canada depuis deux ou trois générations, qui seront pourtant considérés comme des ennemis au cours de la seconde guerre mondiale. « Ceci est mon pays, ma patrie. Que de fois par la suite me suis-je répété ces vers dans la tristesse, le désespoir et l'amertune. [...] Oui, ceci est mon pays. Pour le meilleur et pour le pire. *Je suis canadienne* » (Kogawa, p. 66-67). Il en va de même pour Hans et ses parents qui, tout en étant profondément allemands et intégrés au pays depuis des générations, sont rejetés par leurs concitoyens. Le temps des souvenirs est aussi porteur d'un profond ressentiment : « Mes blessures ne sont pas cicatrisées, et chaque fois que l'Allemagne se rappelle à moi, c'est comme si on les frottait avec du sel » (Uhlman, p. 117-118).

La colère apparaît souvent dans des situations d'incompréhension culturelle comme celle qui sépare Leaphorn de Suzanne, ou Leaphorn d'Isaacs. Les confrontations culturelles entraînent irritation et colère chez l'un ou l'autre, mais tout cela ne dure généralement pas. Elles font partie de la dynamique normale des relations humaines. Face à leur condition dans le sud des États-Unis et au problème de racisme dont ils sont victimes, les Noirs ressentent différents sentiments et adoptent diverses réactions. Pour les uns, il faut se résigner ; pour les autres, tel Richard dans *Black boy*, c'est la colère et la révolte.

Alors que les dominants affichent leur supériorité, les dominés ressentent leur infériorité. Dans *L'ami retrouvé*, Conrad est supérieur par sa collection de pièces, par le fait qu'il se sent à l'aise chez son ami, alors que Hans se dit raté et inférieur : «J'observais son fier visage aux traits joliment ciselés et, en vérité, nul adorateur n'eût pu contempler Hélène de Troie plus intensément ou être plus convaincu de sa propre infériorité. Qui donc étais-je pour oser lui parler ?» (Uhlman, p. 21-22). «Dans notre esprit, les Blancs formaient une espèce de monde supérieur», raconte Richard (Wright, p. 391). Les personnages se sentent inférieurs parce qu'ils sont traités ainsi socialement, parce qu'on leur renvoie cette image, parce que leurs droits sont bafoués, parce qu'ils se font traiter d'animaux et, enfin, parce qu'ils ne participent pas pleinement à la société.

Dans *Là où dansent les morts*, les Navajos éprouvent des sentiments d'infériorité face aux Zuñis qu'ils sentent plus intellectuels, plus dominateurs et par qui ils craignent d'être exploités, mais en même temps ils ont la certitude de leur être supérieurs, au moins dans le domaine de la chasse. «Leaphorn était en train de se dire qu'il irait peut-être jeter un coup d'œil lui-même, qu'il saurait trouver des traces qu'un Zuñi ne pouvait voir. Pasquaanti le regardait, soupçonnant ce genre de pensées» (Hillerman, p. 25).

Dans *L'ami retrouvé*, Hans doit continuellement subir les sarcasmes de ses copains de classe et les marques de non-reconnaissance de son ami Conrad, alors que ce dernier, par son origine, ses attitudes, son sentiment d'être à sa place, éprouve de l'honneur, tout comme les autres membres de sa famille. «Ils se dressaient là, unis, supérieurs, escomptant que les assistants les contempleraient bouche bée, hommage que leur conféraient neuf siècles d'histoire. [...] Tout à coup, il [Conrad] m'aperçut, mais sans me donner le moindre signe de reconnaissance ; puis son regard erra autour des fauteuils d'orchestre...» (Uhlman, p. 88).

Le métissage donne lieu à des sentiments de répugnance. Par exemple, dans *La rivière sans repos*, dans un premier temps, le pasteur blanc a des sentiments mitigés face à

Jimmy : « Retenait-il donc, pour sa part, d'avoir tout d'abord éprouvé envers l'origine de la vie de Jimmy comme une sorte d'aversion ? » (Roy, p. 173). Toutefois, pour les Inuits, le jeune métis Jimmy a été mis sur leur chemin : « Pour notre joie, répliqua tendrement Thaddeus. Et aussi pour notre perpétuel étonnement » (Roy, p. 277). La différence ethnico-sexuelle est attirante surtout en ce qui a trait aux femmes de l'autre entourées de mystère et objets de convoitise ; l'exotisme est permissif, jouissif et constitue souvent un défi : « Faut surtout pas regarder leurs femmes, dit Pat à l'oreille de Madjid. Faut jouer au passant qui passe et cherche son chemin. Mais Madjid ne peut s'empêcher d'admirer les femmes des Gitans. Il les trouve belles... Elles sont vraiment belles » (Charef, p. 73).

Connaissance de l'autre

La connaissance de la culture de l'autre, ou du moins de certains éléments qui pourraient faciliter la communication, est généralement très fragmentaire chez les personnages romanesques. À l'exception du policier navajo Leaphorn de *Là où dansent les morts*, qui a suivi quelques cours d'anthropologie à l'université et a beaucoup appris sur les Navajos et les Zuñis du franciscain Ingles, ils ont une connaissance nulle de l'autre. Leur méconnaissance, accompagnée de la mauvaise interprétation des comportements et des valeurs d'autrui, s'explique bien souvent par le peu d'occasions de rencontres et d'échanges entre les membres de groupes culturels différents et peut engendrer méfiance et xénophobie. Elle peut encore servir à rejeter la différence et à discréditer l'autre, comme l'exprime Emily dans *Obasan* : « [...] la présidente nationale de l'Ordre impérial des filles de l'Empire, qui manifestement n'a aucune idée de ce que nous sommes [les Canadiens d'ascendance japonaise], a tenté délibérément de créer un climat de peur et de mauvaise volonté à notre égard parmi ses membres partout au Canada» (Kogawa, p. 127).

Quant à l'origine des connaissances, réelles ou imaginaires, qu'on a sur l'autre, tout comme dans la réalité, elle peut être familiale, scolaire, livresque — théorie ou fiction —, médiatique. Dans *Là où dansent les morts*, Leaphorn en s'adressant au père Ingles dira : «Ce que je connais de la religion Zuñi je l'ai appris un peu dans les livres d'anthropologie, un peu par ouï-dire, et un peu par un camarade de chambre [zuñi] que j'ai eu autrefois. Ça ne représente pas grand-chose et tout n'est sans doute pas exact. [...] Aujourd'hui, je regrette de ne pas en savoir un peu plus...» (Hillerman, p. 144).

L'acquisition de connaissances sur l'autre peut donc être envisagée dans un but positif, celui de nouer contact avec lui, ou dans un but négatif, celui de l'exploiter comme c'est le cas de Mémé qui, dans *À la poursuite des Slans*, désire utiliser les facultés extraordinaires d'un jeune Slan, qu'il doit dès lors mieux connaître : «Qu'est-ce qu'un Slan? Qu'est-ce qui vous différencie de nous? Et d'abord, d'où viennent-ils, ces Slans? On les a fabriqués, n'est-ce pas, comme des robots?» (Van Vogt, p. 47).

La curiosité et l'intérêt à l'égard de l'altérité semblent être dans les romans une qualité individuelle plus que collective. Les institutions ne favorisent la circulation de l'information «culturelle» que pour assurer un contrôle sur ceux qui diffèrent de la norme ou qui sont tenus pour inférieurs. L'autre peut être à la fois un objet de curiosité et de fascination, tout en étant considéré comme une bête, un objet ou un barbare. Dans *À la poursuite des Slans*, c'est le cas de Kathleen, une Slan, détenue comme objet d'étude mais aussi traitée comme objet sexuel.

Le questionnement sur l'autre peut être stimulé par la

curiosité et l'attirance qui poussent à établir des contacts et à se documenter. L'intérêt peut avoir pour but de se rassurer sur celui qu'on perçoit comme étranger. C'est la tournure que prend une conversation entre Nomi et un Canadien d'origine britannique qui l'a invitée à souper : «Le veuf posait tant de questions que je m'attendais presque à ce qu'il me demande une carte d'identité» (Kogawa, p. 22).

Dans certains cas, la curiosité constitue un premier pas dans l'établissement d'une relation amicale comme celle de Hans pour Conrad et de Hugues pour Habéké. Parfois, elle pousse certains personnages à vouloir connaître quelques traits culturels de l'autre, notamment la langue et la religion. Mais hors du contexte culturel, cette appropriation ne garantit ni une compréhension de l'autre ni le bon déroulement de la communication. La connaissance culturelle de l'autre, quoique insuffisante, est certes un atout, mais pour que l'échange puisse se poursuivre elle doit s'accompagner d'un certain nombre de conditions, par exemple, considérer l'autre comme un partenaire égal dans un même contexte social et maintenir un rapport affectif sain.

Très tôt, dès l'enfance, par l'éducation familiale, par les rapports de voisinage et à l'école, chacun apprend sur soi et sur l'autre. Cet apprentissage peut être une ouverture ou le maintien d'une distance, comme l'explique *Black boy* : «[...] chacun [Noirs et Blancs] commençait à jouer son rôle racial traditionnel [...]. Toutes les représentations terrifiantes que nous nous faisions les uns des autres, toutes les expressions violentes de haine et d'hostilité dont notre entourage nous avait imprégnés, remontaient maintenant à la surface pour guider nos actions» (Wright, p. 143). Ces «représentations terrifiantes» constituent l'image qu'on se fait ou qu'on se transmet de l'autre.

Trois phénomènes contribuent à former l'image d'autrui. D'abord, les stéréotypes, qui surgissent de l'activité classificatoire propre aux êtres humains ; puis les préjugés, qui expriment les jugements de valeur. Stéréotypes et préjugés, constructions culturelles auxquelles personne n'échappe, agissent comme une forme de connaissance. Les uns et les autres peuvent être négatifs ou positifs, et de différente nature : sexuels, raciaux, ethniques ou sociaux. Ils sont souvent perçus comme une vérité quasi absolue et s'apprennent ou se transmettent dans le milieu familial, scolaire et social, ou seront formés à la suite d'expériences personnelles auprès de certains individus — et généralisés ensuite à tout le groupe. Le troisième phénomène qui contribue à former l'image de l'autre est celui des rumeurs, qui font circuler certaines informations sur les autres.

Toutes les cultures, parce qu'elles sont des systèmes de classification et de référence, s'accompagnent d'une série d'images qui sont en fait des généralisations construites pour appréhender la réalité — dans le cas qui nous occupe, celle de la diversité humaine dans ses dimensions sociale et culturelle. C'est ce qu'on appelle des stéréotypes. Ces derniers sont en fait des modèles types, des clichés, qu'on se fait des uns et des autres. On dira des jeunes qu'ils sont comme ceci, des pauvres qu'ils sont comme cela. Appliqués aux groupes sociaux ou ethniques, les stéréotypes permettent de se faire rapidement une idée des autres, et ainsi d'adopter à leur égard un comportement qu'on juge adéquat. En parlant des Gitans, dans *Le thé au harem d'Archi Ahmed*, Madjid dira : « La plupart du temps, ils sont en bras de chemise. Chemises à carreaux de préférence avec cravate vert bouteille. T'as pas besoin d'aller vers l'Est, quand t'en as vu un, t'as fait le voyage à l'œil, et ça vaut le coup » (Charef, p. 75).

Lorsqu'il s'agit de définir les autres, chaque groupe culturel généralise et simplifie l'idée qu'il s'en fait. Ainsi, la plupart des stéréotypes contiennent une part de vérité tout en étant réducteurs par le fait qu'ils ne tiennent pas compte des autres facteurs de différenciation qui traversent le groupe. Par exemple dans *Le thé au harem d'Archi Ahmed*, le groupe d'appartenance de Pat et Madjid réunit des jeunes qui sont d'origine ethnique et de milieu familial différents. Face à leur misère, leur avenir et leur famille, ces jeunes n'ont pas tous la même attitude. Mais bien souvent la seule information que nous avons sur les autres est celle qu'on a transmise sur leur groupe d'appartenance.

Le besoin de catégoriser et d'ordonner la réalité détermine nos attentes et modèle notre réaction aux comportements de l'autre. Les stéréotypes sont généralement considérés comme nocifs lorsqu'ils se prolongent en intolérance, en violence, en tension interculturelle, et qu'ils bloquent toute communication. Dans *Black boy*, le narrateur reconnaît l'origine d'un homme selon l'image qu'il se fait de l'Américain nordique : «Ses manières brusques dénotaient le Yankee» (Wright, p. 319). Dans *Obasan*, on rapporte différents stéréotypes dont sont affublés les Canadiens d'origine japonaise : «Stephen passe son temps à lire des bandes dessinées de guerre qu'il obtient des garçons du quartier. Tous les Japs ont des visages couleur moutarde et des dents proéminentes» (Kogawa, p. 153). Dans *La vie devant soi*, Momo relève différents stéréotypes se rapportant aux Arabes : «[...] Madame Rosa m'a traité de petit prétentieux et que *tous* les Arabes étaient comme ça, on leur donne la main, ils veulent tout le bras. [...] J'avais même des troubles de précocité parce que les Arabes bandent *toujours* les premiers. [...] On a pas trouvé de syphilis chez moi, mais les infirmières disent que *tous* les Arabes sont syphilitiques» (Gary, p. 19, 22 et 189, nous soulignons).

Les romans étudiés ont tendance à cibler davantage les personnages dans leur individualité que les groupes culturels auxquels ils appartiennent. C'est d'ailleurs ce qui fait leur intérêt pour l'étude des relations interculturelles. Les auteurs, en passant par Momo, Madjid, Elsa, Nomi, Emily, Hans et Mme Rosa, individualisent et dé-stéréotypent. Présentés à travers leurs attributs à la fois positifs et négatifs, et placés dans un contexte social particulier, les personnages deviennent ainsi sympathiques.

Dans *Le thé au harem d'Archi Ahmed*, la famille de Madjid est présentée dans sa vie quotidienne. Sa mère Malika est «bonne, généreuse et chaleureuse», et, bien qu'elle soit une immigrée arabe, elle est capable d'éduquer, de prendre soin des autres et de les aider, tout comme son fils Madjid : «Stéphane [fils de Josette] n'a pas faim, il a mangé des gâteaux au chocolat chez Malika. Il a fait ses devoirs avec Mehdi [Madjid], qui l'aide et lui explique, quand ce n'est pas Amaria [sœur de Madjid]» (Charef, p. 66-67). Madjid est décrit comme compréhensif, capable de compassion et d'entraide. Il a la responsabilité familiale de son père malade.

Les stéréotypes sont toujours doublés d'un système de valeurs et engendrent les préjugés, qui reposent sur de fausses prémisses et poussent à juger les autres avant même de les avoir rencontrés. Tout comme les stéréotypes, ils donnent naissance à des attitudes de rejet ou incitent à la violence, verbale ou physique. Ils peuvent servir à des fins personnelles ou sociales, politiques et économiques. Ainsi le préjugé racial, c'est-à-dire la croyance en l'existence des races et à la hiérarchisation des groupes humains, justifie une exploitation économique ou une domination politique. Dans *Black boy*, parce que les Noirs sont considérés comme inférieurs, les Blancs peuvent leur refuser des droits politiques ou sociaux, dominer la scène économique, etc.

La force du préjugé est telle qu'on y croit profondément et qu'on le tient pour réel. Les préjugés véhiculés dans les récits sont sensiblement les mêmes d'un roman à l'autre :

l'étranger veut nous envahir, voler nos femmes et nos emplois, etc. Dans la réalité comme dans les romans, les préjugés sont nombreux et pour la plupart négatifs, difficiles à combattre tant ils font corps avec une conception du monde.

Dans *Obasan*, afin de rendre plus crédible le fantasme du danger asiatique, certains Canadiens vont même jusqu'à créer un jeu de guerre justement appelé «le Péril jaune» : «*Le jeu qui montre comment quelques braves défenseurs peuvent tenir le coup contre un grand nombre d'ennemis*. Il y a cinquante petits pions jaunes dedans et trois grands rois bleus. Le fait d'être jaune dans le jeu équivaut à être petit et faible. Jaune c'est peureux, c'est *chicken*» (Kogawa, p. 228.) Dans *Le thé au harem d'Archi Ahmed*, Madjid rapporte les préjugés de M. Levesque qui marche dans une flaque d'urine et lance des jurons : «Pour lui [M. Levesque] c'est les Arabes qui pissent dans l'ascenseur et dégradent le bâtiment. C'est pourquoi Madjid se croit obligé de répondre à ses jurons. Les Arabes n'ont pas de chien, ou très rarement» (Charef, p. 12). Dans le même roman, comme dans *Les Boucs*, le narrateur dénonce le préjugé selon lequel l'étranger, en particulier l'Arabe, serait un voleur : «Il [un boucher] a dû appeler Police-Secours, donner un signalement précis de son voleur : Nord-Africain. On l'a certainement attrapé, le Nord-Africain, n'importe lequel, le premier qui a débouché du coin de la rue. Et le boucher s'est écrié : pas de doute, c'est bien lui» (Chraïbi, p. 12).

Le préjugé négatif peut être récupéré et utilisé par la victime, comme dans *Le thé au harem d'Archi Ahmed* où Pat vole le portefeuille d'un inconnu dans le métro alors que Madjid, complice, se laisse accuser pour détourner l'attention et laisser à Pat le temps de fuir. Le passager regarde Madjid : «Il le dévisage de haut en bas et sans se gêner : un Arabe ! Il prend l'Arabe par le colbac et l'attire vers lui :

– Mon portefeuille, fumier! [...] – De quel droit, hein? Je m'en fous, moi, de ton larfeuille. Mais ça y est : ils voient un Arabe, c'est un voleur! [...] Madjid, jouant le jeu à fond, l'insulte une dernière fois du quai, et suit Pat» (Charef, p. 106-107). Cet extrait démontre que les préjugés peuvent, dans certaines circonstances, principalement dans des situations de conflits ou de panique, court-circuiter le jugement et la réflexion.

Enfin, un dernier préjugé veut que les femmes de l'autre soient dangereuses et ensorceleuses. Dans *L'ami retrouvé*, le père de Conrad est indifférent à l'amitié que celui-ci éprouve pour Hans, mais il en serait autrement si cette relation en était une avec une femme : «Oh, mon père. C'est différent. Peu importe qui je fréquente... Si tu étais *une* juive, ce serait peut-être autre chose. Il te soupçonnerait de vouloir mettre le grappin sur moi. Et il n'aimerait pas ça du tout» (Uhlman, p. 96).

Les rumeurs constituent un excellent moyen pour créer et entretenir les préjugés. Elles jouent un rôle dans toutes les situations où le groupe dominant a intérêt à nourrir ou à susciter sur le groupe dominé des sentiments racistes ou xénophobes. Ainsi, lors de la montée du nazisme, on faisait circuler différentes rumeurs qui surchauffaient les esprits, comme le faisaient des copains de classe de Hans dans *L'ami retrouvé*: «Et, tirant de sa poche un petit bout de papier imprimé, il [Bollacher] le lécha et le colla sur mon banc, devant moi. Il y était écrit : "Les Juifs ont ruiné l'Allemagne. Citoyens, réveillez-vous!"» (Uhlman, p. 105).

Dans *Obasan*, afin d'envenimer et de faire exploser des situations tendues, on rapporte différentes rumeurs concernant les Canadiens d'ascendance japonaise, par exemple la présidente de l'Ordre impérial des filles de l'Empire «racontait que nous étions tous des espions et des saboteurs, et qu'en 1931 nous n'étions que 35 000 et que ce nombre a doublé dans les dix dernières années. Une absurdité biologique» (Kogawa, p. 127).

À *la poursuite des Slans* explique bien comment le pouvoir, détenu par un groupe d'humains, fait circuler des rumeurs — par exemple que les Slans font des expériences avec les bébés humains au sein de leur population —, et cela non seulement pour entretenir l'animosité et la haine envers les Slans, mais aussi afin de justifier le pouvoir lui-même.

Rapports sociaux et distance

L'intégration sociale, ou plutôt la non-intégration, est un thème omniprésent dans les romans analysés. Les personnages marginaux se butent continuellement à des murs, qui les séparent de ceux qui sont plus proches de la «norme». Le regard silencieux des passants, la mise à l'écart de collègues ou des concitoyens constituent des signes de rejet. L'intégration se présente comme un processus, difficile et jamais totalement réalisé au sein d'une société pluriethnique. On peut la définir à partir de trois pôles. Le premier est celui d'une fausse question : «comment monter dans un train déjà en marche sans tomber?» Le problème est mal posé car «on est tous dans la même galère»; «à chacun de trouver ses marques». Le deuxième relève du sentiment d'«être chez soi, se sentir bien, percevoir un sentiment de sécurité, avoir l'impression qu'on existe, qu'on compte pour quelque chose : c'est cela être intégré. Une question de sensation, de perception, de lecture du regard des autres.» Finalement, à partir du social : «L'intégration c'est [...] surtout une affaire de promotion sociale[1].»

1. Azouz Begag et Abdellatif Chaouite, *Écarts d'identité*, Paris, Seuil, «Point-Virgule», 1990, p. 10, 53 et 80.

Les rapports sociaux sont affaire de distance. Comment créer, actualiser, maintenir réduire ou augmenter, la distance entre nous et les autres ? C'est l'affaire de tous les groupes qui finalement utilisent cette distance selon les circonstances et leurs intérêts.

Création d'une distance

L'exclusion, l'évitement et le rejet peuvent être pratiqués de manière individuelle ou collective. Par exemple, avant même l'implantation du système nazi, certains membres de la société, tels les parents de Conrad dans *L'ami retrouvé*, excluaient totalement les juifs de leur vie. Ainsi, l'amitié que Conrad porte à Hans ne sera viable qu'à l'extérieur de son univers familial, au très grand regret de son ami : « Chaque jour, je subissais la même torture de la séparation et de l'exclusion ; chaque jour, cette demeure, qui détenait la clé de notre amitié, croissait en importance et en mystère. [...] Mais les barrières qui me séparaient de Conrad semblaient dressées à jamais » (Uhlman, p. 81).

L'exclusion du territoire est une manifestation radicale, parfois violente, visant à faire disparaître l'autre, comme cela a été le cas des Canadiens d'origine japonaise. Sous le couvert de la démocratie et de la politesse, le gouvernement canadien appliquait divers décrets et créait des lois visant à exclure certains citoyens de la vie canadienne, comme le raconte le roman *Obasan* : « C'était évidemment une de ces lettres types qu'on nous avait envoyées pendant les années 40 nous demandant de céder nos droits de propriété tout en nous avisant que même si nous ne le faisions pas, on nous prendrait nos maisons » (Kogawa, p. 61).

L'évitement est une attitude préventive qui diffère indéfiniment la rencontre entre individus de groupes différents. Les contacts avec l'autre pourraient causer maladie, dégénérescence, ou impureté, comme le disent les nazis dans *L'ami retrouvé* : « Allemands, prenez garde. Évitez tous les Juifs. Quiconque a affaire à un Juif est souillé» (Uhlman, p. 116).

Le rejet de l'autre, de sa différence et de sa personne même, est déjà inclus dans la conception même qu'on en a. Le raciste le renvoie dans l'animalité. C'est ainsi que Yalann, dans *Les Boucs*, percevait les Français : « Ils [les Français] lui donnaient une poignée de main sans le regarder, convaincus qu'il était un chien...» (Chraïbi, p. 135). Ce rejet de l'autre hors du champ humain est courant dans toute forme de discours raciste. D'animal, l'autre peut devenir une chose, un objet, une possession dont le raciste peut disposer et qu'il peut exploiter et violenter à son gré. Dans *Black boy*, des employeurs blancs veulent provoquer un combat entre leurs deux employés noirs. Ils sont prêts à leur donner cinq dollars chacun pour les voir se battre. « Pour eux, nous ne sommes pas aut'chose que des bêtes, fit-il [Harrisson]. [...] Lorsque les Blancs de l'usine apprirent que nous acceptions de nous battre, leur surexcitation ne connut plus de bornes. Ils offrirent de m'enseigner de nouveaux coups » (Wright, p. 412).

L'image qui infériorise l'autre relève à la fois de la méconnaissance et — peut-être surtout — d'une croyance irrationnelle qui masque l'affectivité. Par exemple, dans *Obasan*, la conception que se font la majorité des Canadiens des membres de la communauté japonaise empêche la rencontre des deux communautés. Selon Emily, quoi que fassent les Canadiens d'origine japonaise, « on finit toujours par être deux fois plus détesté, et on se fait traiter de chien galeux » (Kogawa, p. 279).

On peut rejeter l'autre par l'adoption de nombreux comportements et interdits. Ainsi, lors du rejet des Canadiens d'origine japonaise, « on a affiché des pancartes sur toutes les grand'routes : "Interdit aux Japs"» (Kogawa, p. 132). On peut encore tenir l'autre à distance par des voies juridiques qui attribuent à chacun sa place, comme le souligne le policier Pasquaanti dans *Là où dansent les morts* : «Pasquaanti voulait s'assurer que Leaphorn, Cirpiano ("Orange") Naranjo [...] comprenaient bien que, sur le territoire de la Réserve Zuñi, la police de Zuñi dirigeait l'enquête» (Hillerman, p. 16). Dans *Le souffle de l'harmattan*, Hugues reproche à ses parents adoptifs de ne pas accepter de voir Habéké parce qu'il dérange : «Chez nous, je correspondais à tout ce qui donne mauvaise conscience. C'était la même chose pour Habéké; il correspondait à un Africain tout nu et à gros ventre qui regarde dans nos cuisines par la fenêtre de la télévision pour voir ce qu'il y a pour souper. C'est pour ça que mes demis n'avaient pu sentir Habéké parce que par Habéké arrivait le péril, parce que Habéké qui restait pour souper c'était l'image de la télé qui s'incarnait sur une chaise, au-dessus d'une assiette pleine, sapant une soupe trop chaude qui brûle les bouches qui sont pas habituées aux aliments. À la limite, je correspondais à Habéké, qui lui correspondait à l'Afrique, qui elle correspondait au primitif, qui lui correspondait à l'aube de l'humanité...» (Trudel, p. 20).

En rejetant l'autre et en le plaçant hors de soi et de l'identique, en gardant le silence et en détournant les regards, on refuse toute forme de communication avec lui, et on se ferme complètement à la possibilité de relations égalitaires et harmonieuses.

Actualisation de la distance

L'actualisation de la distance entre nous et les autres passe par la violence verbale et physique. *Black boy*, *À la poursuite des Slans*, *Les Boucs* et *Obasan* sont particulièrement riches en expressions de mépris et en faits violents. Les personnages y

racontent la persécution et les nombreuses attitudes violentes dont ils ont été l'objet ou auxquelles ils ont assisté,
«[...] cette pression de haine et de menace qui émanait des
Blancs invisibles. [...] j'apprenais qu'une femme blanche
avait giflé une femme noire, qu'un Blanc avait tué un Noir
[...]. Le patron, son fils et l'employé traitaient les Nègres
avec un franc mépris ; ils les bousculaient, leur donnaient
des coups de pied ou des claques» (Wright, p. 127 et 307).

Dans le même roman, le narrateur décrit plusieurs
manifestations de violence verbale et physique, par exemple
gifles, bousculades, coups de pied, tueries : «Il me lut un
long article qui préconisait passionnément le lynchage en
tant que solution du problème noir» (Wright, p. 225).

Distance en action : maintenir, diminuer ou augmenter

Les actions qui augmentent ou réduisent la distance entre
nous et les autres s'appellent ségrégation et discrimination, intégration et partage. La ségrégation, c'est-à-dire
l'action de séparer deux ou plusieurs groupes sociaux ou
ethniques, est parfois une pratique institutionnalisée. Par
exemple, aux États-Unis, à la suite de l'abolition de l'esclavage et malgré l'idée d'égalité entre les hommes annon-
cée dans la déclaration d'indépendance des colonies améri-
caines, on instaura un système de ségrégation maintenant
les Blancs et les Noirs dans des espaces distincts. *Black boy*
regorge d'exemples de ségrégation : «On ne reçoit pas les
Noirs à l'hôpital [des Blancs]. [...] je remarquai qu'il y
avait deux files d'attente au guichet des billets, une file
"blanche" et une file "noire". [...] nous autres Nègres,
nous occupions une partie du train, et les Blancs une autre.
[...] Le magasin était réservé à la clientèle noire et était
toujours bondé. Hommes et femmes tripotaient des com-
plets et des robes de qualité inférieure et payaient le prix

qu'en demandait le Blanc» (Wright, p. 84 et 307). Il en va de même dans *Obasan* qui dénonce les nombreuses actions de ségrégation dont ont été victimes les Canadiens d'origine japonaise, programmes de ségrégation, de relocalisation et de déportation qui ont visé à écarter, et à la limite faire disparaître, celui qu'on perçoit comme étranger et ennemi : « Tout a été fait, a dit tante Emily, officiellement, officieusement, à tous les niveaux, et le message de disparaître a été gravé profondément dans la moelle de nos os » (Kogawa, p. 273). Même après la fin des hostilités de la seconde guerre mondiale, le gouvernement de la Colombie-Britannique a maintenu durant quelques années le décret interdisant l'entrée dans la province aux Canadiens d'origine japonaise.

Cette ségrégation érigée en système subordonne chacun des groupes concernés, comme l'explique le jeune Richard dans *Black boy*: « Les Blancs avaient tracé une ligne de démarcation que nous n'osions pas franchir et nous acceptions cette ligne parce que notre pain en constituait l'enjeu. Mais à l'intérieur de nos frontières, nous tracions, nous aussi, une ligne qui comprenait le droit au pain sans tenir compte des affronts ou de l'avilissement auquel nous nous soumettions pour le gagner » (Wright, p. 392).

La ségrégation n'est pas toujours accompagnée d'agression physique ou d'exploitation, quoiqu'elles puissent être latentes. Lors d'une crise sociale, économique ou politique, on a tendance non seulement à séparer les groupes, mais aussi à abuser et à profiter de ceux qui sont mis à l'écart. Dans un contexte de domination sans ségrégation, c'est la discrimination qui enlève des droits aux individus et aux collectivités ou en empêche l'exercice. Chaque société définit un ensemble de libertés et de droits sociaux, politiques, juridiques — qui ne sont pas tous pour autant reconnus et respectés. S'ils ne sont pas appliqués égale-

ment pour tous, on dira que cette société pratique la discrimination. Par exemple *Le thé au harem d'Archi Ahmed*
raconte l'une des stratégies discriminatoires dans le
secteur du travail pratiquée envers les femmes : « [...] il
faut être présentable quand on cherche un emploi.
Surtout pas de pantalon ! Le chef du personnel, lui, est en
général mal fagoté, débraillé, mais cela ne l'empêche pas
de détailler les postulants de haut en bas. Il peut même
critiquer le physique, l'habillement. Quand c'est par cor-
respondance et qu'il demande une photo, c'est pas pour
voir si la nana a une bouche à sucer, c'est pour voir si ce
n'est pas une Antillaise avec un nom bien français... »
(Charef, p. 93).

L'histoire que raconte *Obasan* est aussi celle de nombreuses discriminations exercées non seulement par des individus mais aussi endossées par le gouvernement : « Le 21
juin 1944. Il semble très inquiétant que même sans débat
tous les partis de la Chambre se soient entendus pour adopter dans le nouveau projet de loi concernant les élections une
disposition qui privera des femmes et des hommes, nés au
Canada, de leur droit de vote. Il s'agit du projet de loi 135...
Aucun autre pays démocratique n'a ce genre de disposition »
(Kogawa, p. 67-68). Les exemples de discrimination que
donnent les romans sont assez éloquents. Et le mérite des
récits est de présenter les stratégies et les arguments utilisés
pour y recourir.

Selon Emily dans *Obasan*, la réduction de la distance
entre nous et les autres commence par la reconnaissance,
de la part des premiers, de leurs actions de rejet et de
discrimination : « La réconciliation ne peut être entamée
sans une reconnaissance réciproque des faits, a-t-elle dit.
Des faits ? Oui, des faits. Ce qui est exact est exact. Ce qui
faux est faux. La santé commence quelque part » (Kogawa,
p. 273).

Utilisation de la distance

La distance entre nous et les autres peut être utilisée dans un but de domination, d'exploitation ou de maintien de rapports d'égalité. Les relations interculturelles décrites dans les romans s'inscrivent à l'intérieur de l'opposition entre dominant et dominé dans laquelle le dominant, selon ses intérêts, tire avantage de la situation sociale, politique ou économique. Tous les marginalisés sont vulnérables, tant sur le plan socioéconomique que sur le plan affectif. Par conséquent, ils constituent une cible facile pour les exploiteurs, qui peuvent se faire discrets ou patients dans l'exercice de leur pouvoir, mais ils peuvent aussi exercer leur autorité et faire valoir leur puissance quand bon leur semble. Par ailleurs, le pouvoir revêt différentes formes et peut inspirer des actions extrêmes, comme cela est raconté dans *Obasan* : « Le pouvoir de la parole écrite [...]. Le pouvoir du gouvernement, Nomi. Le pouvoir tout court. Tu vois comme c'est tangible ? On nous a pris nos propriétés, nos magasins, nos commerces, nos bateaux, nos maisons — tout. On a divisé nos familles, on nous a dit qui nous pouvions voir, où nous pouvions habiter, ce que nous pouvions ou devions faire, à quelle heure nous pouvions quitter nos maisons. On a censuré nos lettres. On nous a exilés sans qu'aucun crime n'ait été commis. On nous a enlevé nos gagne-pain...» (Kogawa, p. 61). Ces Canadiens d'origine japonaise sont considérés comme des « chiens » par certains Canadiens, mais aussi comme de bons travailleurs qu'on peut exploiter. Ainsi, on leur reconnaîtra le mérite de la récolte extraordinaire de betteraves en 1945, ce qui sous-entend qu'on peut continuer à les confiner à ce travail pénible et aliénant. Évidemment, cela ne leur donne ni droits ni participation à la société canadienne ni considération humaine, et « ces bons travailleurs » demeurent, comme le rapporte un journal de la Colombie-

Britannique, «une puanteur dans les narines du peuple canadien» (Kogawa, p. 177).

Puisque, pour maintenir leur pouvoir et leurs privilèges, les dominants mettent en place divers mécanismes et stratégies allant de la rumeur et des préjugés jusqu'à la violence physique, les dominés n'ont souvent d'autre choix que de se soumettre, comme le rapporte le jeune Black boy : «[...] il fallait dire "oui, monsieur, non monsieur", et me comporter de façon que les Blancs ne pensent pas que je m'imaginais être leur égal» (Wright, p. 319). Toutefois la soumission n'est pas nécessairement aveugle mais bien souvent teintée de révolte et de colère, parfois réprimées. Ce qui ne laisse rien présager de bon ni pour l'épanouissement des individus ni pour les rapports entre les groupes.

Conclusion

La littérature romanesque présente d'importantes qualités et un immense potentiel pédagogique pour la compréhension des relations interculturelles. Car le roman permet d'embrasser d'un seul regard les différentes dimensions des rapports d'altérité, en particulier leur dimension affective, peu traitée autrement.

On peut explorer le roman comme un anthropologue fait du terrain, c'est-à-dire en s'immergeant dans un espace-temps particulier et en partageant la vie de la communauté. Ainsi on pourra observer le déroulement des relations et analyser leur contenu. C'est ce que nous avons tenté sur quelques textes.

Les relations interculturelles, les romans l'attestent, ne vont pas de soi tout comme les autres formes de rapports d'altérité. Elles sont truffées d'embûches, de difficultés et de blocages. Mais alors pourquoi certains personnages entreprennent-ils de s'engager dans une relation interculturelle ? Qu'est-ce qui les motive à aller vers celui qui est différent ?

Les personnages charnières vivant en marge de leur communauté sont continuellement à l'affût d'un regard ou d'un geste par lesquels la majorité ou les gens de la norme les reconnaîtraient. Ils élaborent différentes stratégies afin de participer à la société. Leurs pensées et leurs malaises témoignent de leur difficulté à participer ou à s'intégrer dans une communauté déjà bien structurée.

On a vu que les personnages charnières éprouvent souvent un sentiment de solitude au sein de leur propre groupe social ou culturel. Cette solitude difficilement tolérable pour la plupart d'entre eux les pousse à rechercher la compagnie et l'approbation de l'autre. C'est que « le besoin de reconnaissance est d'autant plus fort que les individus se sentent en position d'insécurité, d'infériorité, d'exclusion ou de marginalité. [...] Lorsqu'on est en minorité dans un groupe, c'est-à-dire lorsque le reste du groupe possède une caractéristique commune que nous ne possédons pas, la demande de reconnaissance me semble d'autant plus grande qu'il faut surmonter cette différence, la faire accepter[1]...»

Selon Lipiansky, la recherche de reconnaissance s'exprime à partir de quatre états psychologiques, dont rendent compte également les différents personnages des romans. Le besoin d'existence, d'abord, c'est-à-dire le désir de se sentir exister aux yeux des autres, est omniprésent chez les personnages charnières. Être vu et être écouté sont des exigences maintes fois exprimées par tous les personnages principaux, notamment par Hans dans *L'ami retrouvé* et par Emily dans *Obasan*. On tente d'établir une relation avec l'autre dans le but de combler une profonde solitude, de donner un sens à sa vie et de devenir visible. En parlant de tous les « invisibles » tels les Noirs aux yeux des Blancs, les pauvres pour les riches, les immigrés pour les citoyens, les femmes pour les hommes, Moscovici dira : « Quel que soit le sacrifice, leur premier souci est en fait de devenir visibles, donc d'obtenir la pleine reconnaissance de leur existence aux yeux de la majorité et dans l'esprit de ceux qui la composent[2].» Et Joseph Kastersztein ajoute : « Leur stratégie, pour ceux qui

---

1. Edmond Marc Lipiansky, « Identité subjective et interaction », *Stratégies identitaires*, Paris, PUF, 1990, p. 179.
2. Cité dans Joseph Kastersztein, « Les stratégies identitaires des acteurs sociaux : approche dynamique des finalités », dans *ibid.*, p. 38.

en possèdent les moyens, sera de faire reconnaître leur valeur afin de "compter pour quelque chose" et d'être pris en compte, de cette manière "un objectif commun est réalisé : celui d'être identifié, écouté et individualisé"[3].» Pour plusieurs des personnages principaux, le désir d'écrire sera la stratégie envisagée pour dire l'indicible, pour parler de soi et pour enfin devenir visible.

Le besoin d'inclusion, ensuite, c'est-à-dire l'envie de faire partie d'un groupe, d'avoir sa place dans la société, ce qui exige de pouvoir participer à la dynamique collective tant sur le plan social qu'économique et politique, et d'être conforme à la norme. Pour répondre à cette nécessité, la différence individuelle, car ici la similitude devient un but à atteindre, peut paraître un obstacle et les personnages auront tendance à vouloir devenir semblables à la norme. C'est ainsi que Stephen dans *Obasan* rejette la culture immigrée japonaise pour adopter la culture nord-américaine de son pays de naissance.

Le besoin de valorisation exige, lui, que l'on présente une image positive de soi. C'est ainsi que les personnages auront tendance à cacher ce qui peut être considéré comme une faiblesse ou un manque, pour présenter plutôt des aspects de soi socialement valorisés. Par exemple, on aura tendance à bien s'habiller afin de séduire l'entourage. C'est ce que fera Elsa dans *La rivière sans repos* en achetant à son fils les plus beaux vêtements. Il séduira les gens du village et fera oublier son origine métisse.

Le besoin d'individuation, enfin, est le désir d'être reconnu dans sa singularité et sa différence. Ainsi dans la quête de l'identité, certains personnages auront tendance à s'opposer au groupe afin de faire accepter les particularités qui les distinguent des autres membres du groupe.

---

3. *Ibid.*

La recherche de la reconnaissance constitue un élément moteur dans la dynamique des relations interculturelles. La reconnaissance, si importante pour camper son identité et pour se sentir intégré, peut se manifester tant par des signes verbaux que non verbaux. Un regard qui exprime de la sympathie, un mouvement de tête qui témoigne de la compréhension, une parole qui atteste notre existence, une gestualité ou une proxémie qui reflètent une véritable écoute sont autant d'indices que l'autre nous considère. Par contre, son silence, son regard désapprobateur ou son éloignement peuvent signifier un rejet.

Mais de quelle façon les personnages romanesques s'y prennent-ils pour obtenir la reconnaissance et établir la communication ? Il ressort de l'analyse des romans que l'amitié et le développement d'une relation intime semblent être la voie choisie par les marginaux pour obtenir la reconnaissance.

Dans *L'ami retrouvé*, Hans décide « qu'il fallait que Conrad devînt [son] ami » (Uhlman, p. 27). Cet autre qu'il admire et qui le fascine est le seul qui pourra satisfaire ses aspirations d'amitié et confirmer sa propre différence « au sein de ce morne troupeau », c'est-à-dire les élèves de sa classe. « Comment pouvais-je le conquérir lorsqu'il était retranché derrière les barrières de la tradition [...]. Comment attirer son attention [...] comment le convaincre que moi seul devais être son ami ? » (Uhlman, p. 30-31).

Au contact de Conrad, Hans s'animera ; il se fera remarquer en exprimant ses opinions en classe, puis se mettra en relief par des exploits physiques ; enfin il utilisera la séduction pour attirer Conrad qui deviendra le leitmotiv de ses initiatives : « C'est pour *lui* que j'allais réussir » (Uhlman, p. 36).

Mais tout au cours de sa vie, cette amitié sera à la fois son plus grand bonheur et son plus profond désespoir. Elle ne survivra pas à la montée du nazisme et à la pression sociale antisémite de l'époque. Et la différence d'origine religieuse qui sépare Hans de Conrad constitue le point de rupture de leur relation. Néanmoins cette amitié aura laissé des traces dans la vision et l'interprétation du monde de Conrad.

De son côté, *Le souffle de l'harmattan* rend compte aussi d'une très grande amitié entre Habéké, d'origine africaine, et Hugues, québécois, qui raconte leur première rencontre : « Tout de suite je l'ai trouvé extraordinaire, et je lui ai demandé de devenir ami avec moi pour la vie. Il a dit oui, mais sans garantir pour la vie. À partir de ce moment-là, Habéké et moi, on est devenus l'index et le pouce » (Trudel, p. 21). Il en est de même dans *Le thé au harem d'Archi Ahmed*, où l'amitié unira tout au long du récit Pat, français de naissance, et Madjid, d'origine algérienne, qui finiront ensemble sur le banc de l'Estafette après avoir volé une voiture, mais surtout complice dans l'amitié : « Avec celui-là [Madjid], on aura la bande, dit le Brigadier en regardant du côté où Pat et les autres avaient fui [...]. L'Estafette roula jusqu'à un carrefour éclairé [...] ils virent Pat [...] fit signe à l'Estafette de s'arrêter [...]. J'étais avec lui, dit-il en montrant Madjid. Il s'assit en face de son ami » (Charef, p. 184). Dans *Là où dansent les morts*, on retrouve diverses formes d'amitié, dont celle de George, navajo, et d'Ernesto, zuñi. L'amitié permet aux uns et aux autres d'échanger leurs points de vue non seulement personnel, mais aussi culturel.

Ces différentes amitiés, dont la principale caractéristique est de tendre vers l'absolu, mèneront la plupart du temps à la mort d'un des protagonistes. Conrad se fera fusiller, Habéké se noiera, Ernesto sera assassiné, Mme Rosa s'éteindra d'elle-même. Mais ces morts ne relèvent sans doute que de l'esthétique romanesque. Entre-temps, et c'est cela pour nous qui est le plus important, c'est par l'amitié que les personnages réussissent à se décentrer par rapport à leur groupe culturel pour communiquer avec l'autre.

Annexe
Grille d'observation et de lecture

Pour les enseignants ou les étudiants qui voudraient refaire sur d'autres œuvres le parcours que nous avons suivi ici, et éventuellement le modifier ou l'adapter, voici les étapes de l'analyse.

Description du contexte géographique et historique du récit:

    a) époque du récit

    b) lieu du récit

Description des personnages

Bien que l'anthropologue ait comme cadre explicatif général le concept de culture, ce n'est pas à cette notion totalement abstraite qu'il se confronte lorsqu'il fait du terrain, mais à des individus imprégnés d'une certaine culture, porteurs et transmetteurs de visions et de comportements culturels. C'est par l'intermédiaire des individus en tant qu'êtres culturels, en les observant et en les écoutant, que l'anthropologue recueille l'information désirée.

    a) Description physique des personnages

    b) Sentiments et états d'âme provoqués par la situation interculturelle

    c) Réflexions sur soi en tant que membre d'un groupe culturel

    d) Comment le narrateur ou les personnages décrivent-ils ou qualifient-ils les groupes culturels

Description de la relation interculturelle

    a) les lieux de rencontre

    b) les occasions de rencontre

    c) buts de la rencontre

    d) déroulement de l'interaction

        I. Communication verbale (ce qui est dit ou tu à l'autre; les noms que l'on se donne et qu'on donne à autrui)

        II. Communication non verbale (regard, ton, mimique, gestuelle)

        III. Comportements (individuels et collectifs)

        IV. Explications, opinions, croyances, réflexions et sentiments provoqués par la relation interculturelle.

Bibliographie

1. Romans étudiés

CHAREF, Mehdi, *Le thé au harem d'Archi Ahmed*, Paris, Mercure de France, «Folio», 1983.

CHRAÏBI, Driss, *Les Boucs*, Paris, Gallimard, «Folio», 1989.

GARY, Romain (Émile Ajar), *La vie devant soi*, Paris, Mercure de France, «Folio», 1975.

HILLERMAN, Tony, *Là où dansent les morts*, Paris, Rivages, «Noir», 1986.

KOGAWA, Joy, *Obasan*, Montréal, Québec/Amérique, «Littérature d'Amérique», 1989.

ROY, Gabrielle, *La rivière sans repos*, Montréal, Stanké, «10/10», 1979.

TRUDEL, Sylvain, *Le souffle de l'harmattan*, Montréal, Quinze, «10/10», 1986.

UHLMAN, Fred, *L'ami retrouvé*, Paris, Gallimard, «Folio», 1971.

VAN VOGT, Alfred E., *À la poursuite des Slans*, Paris, Gallimard, 1954.

WRIGHT, Richard, *Black boy*, Paris, Gallimard, 1947.

2. Autres œuvres à thématique interculturelle

Nous avons réuni ici quelques ouvrages sans tenir compte de l'origine ethnique des auteurs. Il ne s'agissait pas de créer une catégorie ou de privilégier un certain groupe d'écrivains, ceux qui ont immigré par exemple, mais plutôt de se concentrer sur notre thème, qu'il ait été vécu de l'intérieur ou observé de l'extérieur. Notons cependant que certains parcours de vie ont inspiré de nombreux récits à caractère autobiographique.

ALVAREZ, Julia, *Comment les filles Garcia ont perdu leur accent*, Paris, Flammarion, 1993.

BEGAG, Azouz, *Le Gone du Chaâba*, Paris, Seuil, «Point-Virgule», 1986.

—, *Béni ou le Paradis Privé*, Paris, Seuil, «Point-Virgule», 1989.

BEN JELLOUN, Tahar, *Les yeux baissés*, Paris, Seuil, «Points roman», 1991.

BRINK, André, *États d'urgence*, Paris, «Livre de poche», 1988.

BROWN, Dee, *Creek Mary, la Magnifique*, Paris, Stock, 1981.

CHASE-RIBOUD, Barbara, *La Virginienne*, Paris, Livre de poche, 1981.

CHEN, Ying, *Les lettres chinoises*, Montréal, Leméac, 1993.

CHRAÏBI, Driss, *L'inspecteur Ali*, Paris, Denoël, «Folio», 1991.

COETZEE, J. M., *L'âge de fer*, Paris, Seuil, 1990.

—, *En attendant les barbares*, Paris, Seuil, 1980.

CONDÉ, Maryse, *Moi, Tituba sorcière...*, Paris, Mercure de France, 1986.

—, *La vie scélérate*, Paris, Livre de poche, 1987.

ÉROUART, Gilbert, *L'homme qui n'a pas eu lieu*, Paris, Robert Laffont, 1992.

ETCHERELLI, Claire, *Élise ou la vraie vie*, Paris, Gallimard, «Folio», 1972.

FAULKNER, William, *Lumière d'août*, Paris, Gallimard, «Folio», 1974.

FREEMAN, Minnie Aodla, *Ma vie chez les Qallunaat*, Montréal, Hurtubise HMH, «Cultures amérindiennes», 1993.

GRIFFIN, John Howard, *Dans la peau d'un Noir*, Paris, Gallimard, «Folio», 1962.

HIMES, Chester, *La reine des pommes*, Paris, Gallimard, «Folio», 1987.

—, *Plan B*, Paris, Lieu commun, 1983.

HUSTON, Nancy, *Cantique des Plaines*, Arles et Montréal, Actes Sud et Leméac, 1993.

KANE, Cheikh Hamidou, *L'aventure ambiguë*, Paris, 10/18, 1990.

KAPESH, An Antane (ANDRÉ, Anne), *Je suis une maudite sauvagesse*, Montréal, Leméac, 1976.

—, *Qu'as-tu fait de mon pays ?*, Ottawa, Éditions impossibles, 1979.

KINGSTON, Maxine Hong, *Les fantômes chinois de San Francisco*, Paris, Gallimard, 1979.

KUREISHI, Hanif, *Le Bouddha de banlieue*, Paris, 10/18, « Domaine étranger », 1991.

KY (Horst Bosetzky), *Du feu pour le grand dragon*, Paris, L'instant noir, 1986.

JACKSON, George, *Les frères de Soledad*, Paris, Gallimard, 1977.

LAFERRIÈRE, Dany, *Comment faire l'amour avec un nègre sans se fatiguer*, Montréal, VLB, 1985.

—, *Cette grenade dans la main du jeune Nègre est-elle une arme ou un fruit ?*, Montréal, VLB, 1993.

LALONDE, Robert, *Le dernier été des Indiens*, Paris, Seuil, 1982.

LATIF GHATTAS, Mona, *Le double conte de l'exil*, Montréal, Boréal, 1990.

LEFEVRE, Kim, *Métisse blanche*, Paris, J'ai lu, 1989.

MICONE, Marco, *Le figuier enchanté*, Montréal, Boréal, 1992.

MORRISON, Toni, *La chanson de Salomon*, Paris, Acropole, 1985.

NINI, Soraya, *Ils disent que je suis une beurette*, Paris, Pocket, 1993.

POULIN, Jacques, *Volkswagen blues*, Montréal, Québec/Amérique, « Littérature d'Amérique », 1984.

ROBIN, Régine, *La Québécoite*, Montréal, Québec/Amérique, « Littérature d'Amérique », 1983.

ROBLÈS, Emmanuel, *Saison violente*, Paris, Seuil, « Points roman », 1981.

SCHWARZ-BART, André, *La mulâtresse solitude*, Paris, Seuil, « Points roman », 1983.

TRISTAN, Anne, *Au front*, Paris, Gallimard, « Folio/Actuel », 1987.

UHLMAN, Fred, *La lettre de Conrad* suivi de *Pas de résurrection, s'il vous plaît*, Paris, Stock, « Nouveau cabinet cosmopolite ».

WALLRAFF, Gunter, *Tête de Turc*, Paris, Le Livre de poche, 1986.

WIESEL, Elie, *Le testament d'un poète juif assassiné*, Paris, Seuil, « Points », 1980.

3. Ouvrages théoriques

ABOU, Selim, *L'identité culturelle*, Paris, Anthropos, 1986.

BEGAG, Azouz et Abdellatif CHAOUITE, *Écarts d'identité*, Paris, Seuil, « Point-Virgule », 1990.

DELACAMPAGNE, Christian, *L'invention du racisme*, Paris, Fayard, 1983.

DELANOË, Nelcya et J. ROSTROWSKY, *Histoire thématique des États-Unis*, Nancy, Presses universitaires de Nancy, 1991.

CUCHE, Denys, *La notion de culture dans les sciences sociales*, Paris, La Découverte, « Repères », 1996.

FLEM, Lydia, *Le racisme*, Paris, MA, « Le monde de... », 1985.

KASTERSZTEIN, Joseph, « Les stratégies identitaires des acteurs sociaux : approche dynamique des finalités », dans *Stratégies identitaires*, Paris, PUF, 1990, p. 27-41.

LAPLANTINE, François, *Transatlantique. Entre Europe et Amériques latines*, Paris, Payot et Rivages, 1994.

LIPIANSKY, Edmond Marc, « Identité subjective et interaction », dans *Stratégies identitaires*, Paris, PUF, 1990, p. 173-211.

MEMMI, Albert, *Portrait du colonisé*, Paris, Gallimard, 1985.
—, *La dépendance*, Paris, Gallimard, 1979.

MICONE, Marco, « Occultation et émergence de la culture immigrée », dans *Impressions*, janvier 1990, p. 4-7.

ROJZMAN, Charles, « La formation, une arme contre le racisme ? Une expérience à Mantes-la-Jolie », dans *Face au racisme : les moyens d'agir*, tome 1, Paris, La Découverte, « Essais », 1991.

TAGUIEFF, Pierre-André, *La force du préjugé*, Paris, La Découverte, 1987.

VINCENT, Sylvie, « Comment peut-on être raciste », dans *Recherches amérindiennes au Québec*, vol. XVI, n° 4, 1986, p. 3-16.

WIEVIORKA, Michel, *L'espace du racisme*, Paris, Seuil, 1991.

Table des matières

–

Composition : Michel Groleau

Achevé d'imprimer en avril 1997
sur les presses de AGMV
Cap-Saint-Ignace, Québec.